L'ERREUR EST HUMAINE

Woody ALLEN

L'ERREUR EST HUMAINE

Traduit de l'anglais (États-Unis)
par Nicolas Richard

Flammarion

Titre original : *Mere Anarchy*
Traduction publiée avec l'aimable autorisation de
Random House, an imprint of The Random House
Publishing Group, a division of Random House, Inc.
© Woody Allen, 2007
Pour la traduction française :
© Flammarion, 2007
ISBN : 978-2-0812-0367-9

Recalé

Lorsque Boris Ivanovich ouvrit la lettre et la lut à sa femme Anna, tous deux blêmirent. Mischa, leur fils de trois ans, n'était pas admis dans la meilleure école maternelle de Manhattan.

«Ce n'est pas possible! s'exclama Boris Ivanovich, consterné.

— Non, non – ce doit être une erreur, renchérit sa femme. Après tout, c'est un garçon brillant, agréable, sociable, à l'aise à l'oral, qui se débrouille correctement en coloriage et maîtrise bien *Monsieur Patate*.»

Boris Ivanovich s'était tu, il était perdu dans ses rêveries. Comment pourrait-il se présenter devant ses collègues de Bear Stearns alors que le petit Mischa avait échoué à l'entrée d'une grande école maternelle? Il entendait déjà Siminov lui asséner d'une voix moqueuse :

« Tu sais pas t'y prendre. Tu dois absolument faire jouer tes contacts. Il ne faut pas hésiter à glisser quelques billets ici et là. Quel ballot tu fais, Boris Ivanovich.

— Non, non – ce n'est pas ça, s'entendait protester Boris Ivanovich. J'ai arrosé tout le monde, de la directrice aux laveurs de carreaux. Et ils ont quand même refusé mon fils.

— Est-ce qu'il s'en est bien sorti à l'entretien ? lui demanderait Siminov.

— Oui, répondrait Boris, même s'il a eu quelques difficultés à empiler les cubes...

— Ah : moyen en jeux de construction, ferait Siminov avec dédain. C'est signe de sérieuses difficultés au plan émotionnel. Qui voudrait d'un benêt incapable de construire un château fort ? »

Mais pourquoi en discuter avec Siminov, songea Boris Ivanovich. Après tout, peut-être n'aurait-il pas eu vent de l'histoire.

Cependant, le lundi suivant, lorsque Boris Ivanovich entra dans son bureau, il était évident que tout le monde était au courant. Un lièvre mort gisait sur son bureau. Siminov apparut, la mine orageuse.

« Tu as compris, commença Siminov, que ton môme ne sera jamais accepté dans une université digne de ce nom. En tout cas pas dans une des plus prestigieuses.

— Uniquement à cause de ça, Dmitri Siminov ? Tu crois vraiment que la maternelle peut avoir un impact sur ses études supérieures ?

— Écoute, je ne voudrais pas citer de noms, mais – cela remonte déjà à plusieurs années – un banquier d'affaires n'a pas réussi à faire entrer son fils dans une école maternelle renommée. Apparemment, il y a eu un scandale au sujet de l'aptitude du garçon à peindre avec ses doigts. Toujours est-il que le gamin a été refusé par l'école que ses parents avaient choisie, et il a été obligé de, de...

— Quoi ? Dis-moi, Dmitri Siminov.

— Disons que quand il a eu cinq ans il a dû s'inscrire dans... dans une école publique.

— Dieu n'existe donc pas, gémit Boris Ivanovich.

— Lorsqu'il a eu dix-huit ans, tous ses anciens camarades de classe ont intégré Yale ou Stanford, poursuivit Siminov. Mais le malheureux, qui n'était pas diplômé d'un jardin d'enfants – comment dirais-je ? – d'un bon niveau, n'a finalement été accepté à l'École de coiffure.

— Forcé de tailler des moustaches ? s'écria Boris Ivanovich, en s'imaginant le pauvre Mischa en blouse blanche, occupé à raser les rupins.

— N'ayant pas acquis les connaissances de base dans des matières telles que la décoration de pots de yaourts ou le collage de gommettes, le garçon n'était pas du tout préparé aux cruautés de la vie, enchaîna

Siminov. Résultat, il a occupé des postes subalternes, puis a commencé à chaparder des objets à son employeur parce qu'il s'était mis à sérieusement picoler. À cette époque-là, c'était déjà devenu un ivrogne. Évidemment, le chapardage a conduit au vol, et tout cela s'est terminé par l'assassinat et le dépeçage de sa propriétaire. À sa pendaison, le garçon a déclaré que tout avait commencé à aller de travers le jour où il avait été refusé dans une bonne maternelle.»

Ce soir-là, Boris Ivanovich ne trouva pas le sommeil. Il vit l'école maternelle de l'Upper East Side aux salles de classes gaies et lumineuses. Il visualisa des enfants de trois ans en tenues Bonpoint s'adonnant au découpage et au collage, avant de se régaler d'une collation composée de jus de fruits et de petits gâteaux en forme de poissons rouges ou de savoureux biscuits au chocolat. Si l'on pouvait refuser cela à Mischa, alors la vie – voire l'existence dans sa totalité – n'avait plus aucun sens. Il imagina son fils, devenu un homme, face au P-DG d'une société prestigieuse testant ses connaissances en matière d'animaux et de formes, autant de sujets qu'il serait censé maîtriser parfaitement.

« Euh, eh ben, balbutiait Mischa, tout tremblant, c'est un triangle – non, non un octogone. Et ça, un lapin – euh, non, désolé, un kangourou.

— Et les paroles de *Pirouette, cacahuète* ? demandait le P-DG. Ici, chez Smith Barney, tous les vice-présidents les connaissent par cœur.

— Pour être tout à fait honnête, monsieur le président-directeur général, je n'ai jamais parfaitement appris cette chanson », était obligé de reconnaître le postulant, dont la lettre de motivation prenait le chemin de la poubelle.

Au fil des jours qui suivirent le refus, Anna Ivanovich perdit toute vigueur. Elle se disputa avec la nounou et l'accusa de brosser les dents de Mischa à l'horizontale et non pas de haut en bas. Elle cessa de manger à heures régulières et pleura dans le giron de son psy :

« J'ai dû enfreindre la loi divine pour qu'il nous arrive une chose comme ça, gémit-elle. J'ai dû commettre je ne sais quel péché très grave – dépassement de mon quota de chaussures Prada, peut-être. »

Elle crut que l'autocar des Hamptons avait essayé de l'écraser, et lorsque son compte Privilège chez Armani fut annulé sans raison apparente, elle se retira dans sa chambre et prit un amant. Elle eut du mal à le cacher à Boris Ivanovich. Celui-ci dormait en effet dans la même chambre et il demanda à plusieurs reprises qui donc était cet homme à côté d'elle.

Alors que la situation paraissait totalement compromise, un ami avocat appela Boris Ivanovich pour lui annoncer qu'il y avait une lueur d'espoir. Il suggéra qu'ils se retrouvent pour déjeuner au restaurant Le Cirque. Boris Ivanovich arriva déguisé, car l'établissement lui était interdit depuis que la décision de la maternelle avait été rendue publique.

« Il y a un type, un certain Fyodorovich, dit Shamsky en attaquant sa crème brûlée à grands coups de cuiller, qui peut t'obtenir un deuxième entretien pour ton gamin. En échange, tu auras juste à lui transmettre secrètement tout renseignement confidentiel concernant certaines sociétés dont les actions en Bourse seraient susceptibles de grimper ou de chuter.

— Mais c'est du délit d'initié ! s'exclama Boris Ivanovich.

— Oui, enfin uniquement si tu es vraiment à cheval sur les lois fédérales, rétorqua Shamsky. Nom d'une pipe, il y va de l'admission de ton fils dans une maternelle d'excellence. Évidemment, une donation sera également la bienvenue. Mais rien de louche, je te rassure. Je sais qu'ils cherchent quelqu'un pour payer la facture de leur nouvelle annexe. »

C'est précisément à ce moment-là que l'un des serveurs reconnut Boris Ivanovich, malgré son faux nez et son postiche. Le personnel lui tomba dessus à bras raccourcis et il fut traîné *manu militari* hors du restaurant.

« Tiens donc ! tonna le maître d'hôtel. Alors comme ça vous avez cru pouvoir déjouer notre vigilance. Dehors ! Oh, et à propos, en ce qui concerne l'avenir de votre fils, sachez que nous sommes toujours à la recherche d'aides-serveurs. *Aufwiedersehn*, Duschnock. »

À la maison ce soir-là, Boris Ivanovich annonça à sa femme qu'ils allaient devoir vendre la maison d'Amagansett afin de réunir la somme nécessaire au pot-de-vin.

« Quoi ? Notre maison de campagne chérie ? s'écria Anna. Nous avons grandi dans cette maison, mes sœurs et moi. Nous avions un droit de passage pour traverser la propriété des voisins et accéder à la plage en coupant par leur cuisine. Je me revois avec ma famille, on slalomait entre les bols de Cheerios avant d'aller s'ébattre dans l'océan. »

Le destin voulut que le guppy de Mischa meure brusquement le matin où le petit garçon avait son entretien de rattrapage. Il n'y avait eu aucun signe avant-coureur – le poisson d'aquarium n'avait jusqu'alors jamais été malade. D'ailleurs, il venait de faire un bilan de santé complet et avait été déclaré en excellente forme. Naturellement, le garçon fut inconsolable. À l'entretien, il ne toucha ni aux Lego ni aux feutres. Lorsqu'on lui demanda son âge, il répondit avec brusquerie :

« Qu'est-ce que ça peut bien te faire, gros lard ? »

À nouveau il fut recalé.

Boris Ivanovich et Anna, désormais sans ressources, s'installèrent dans un foyer d'accueil pour sans-abri. Ils y rencontrèrent de nombreuses autres familles dont les enfants, eux aussi, avaient été refusés dans des établissements d'élite. Il leur arriva de partager leur nourriture avec ces gens et d'échanger avec nostalgie des souvenirs d'avions privés et d'hivers à Mar-a-Lago. Boris Ivanovich découvrit qu'il existait des individus encore plus malheureux que lui, des gens simples rejetés par la copropriété pour cause de revenus insuffisants. Il y avait une grande beauté presque religieuse derrière ces visages ravagés par la souffrance.

« Maintenant, j'ai foi en quelque chose, dit-il à sa femme un beau jour. Je crois que la vie a un sens, et que tous les hommes, riches ou pauvres, finiront par habiter la Cité de Dieu, car décidément, Manhattan devient invivable. »

LE CHANTIER INFERNAL

Les membres d'un club de remise en forme assez sélect de New York plongèrent aux abris cet été lorsque retentit pendant leur séance matinale le terrible grondement qu'on entend habituellement en cas de violente secousse sismique. La crainte d'un tremblement de terre fut cependant vite dissipée et l'on découvrit qu'il s'agissait simplement de la dislocation de mon épaule : j'avais réussi à me démolir l'articulation en jouant les marioles pour attirer l'attention de la pouliche aux yeux en amande qui faisait des pompes sur le tapis d'à côté. Pour l'épater, j'avais tenté de soulever une barre d'haltère lourde comme deux Steinway, et ma colonne vertébrale s'était recroquevillée tel un ruban de Möbius, tandis qu'une bonne partie du cartilage s'était déchirée dans un vacarme assourdissant. Braillant comme un malheureux poussé du haut du Chrysler Building, je fus évacué en position archi-tordue et

confiné à la maison pour tout le mois de juillet. Décidé
à mettre à profit ce repos forcé, je cherchai consolation
dans de grands livres et me tournai vers une liste
d'ouvrages « à lire absolument » que j'avais gardés
sous le coude depuis une quarantaine d'années.
J'écartai délibérément Thucydide, les frangins
Karamazov, les dialogues de Platon et les madeleines
de Proust pour me concentrer sur une édition de
poche de *La Divine Comédie* de Dante. J'espérais
me délecter de tableaux de pécheresses aux
chevelures de jais tout droit sorties des pages du
catalogue de lingerie féminine Victoria's Secret. Je
les voyais déjà se pâmer, enchaînées à demi nues
dans les vapeurs de soufre. Malheureusement,
l'auteur développait son propos avec une rigueur
pointilleuse et préférait manifestement les grandes
questions aux rêveries érotiques et vaporeuses. Aussi
me retrouvai-je à arpenter les Enfers avec, en guise
de créature torride pour me faire découvrir la
saveur des lieux, un certain Virgile. Moi-même poète
à mes heures, je m'émerveillai de voir que Dante
avait brillamment structuré son univers souterrain en
n'offrant que des déserts aux vils affreux ; il
rassemblait les divers scélérats et gredins, et affectait
à chacun le degré de souffrance éternelle qu'il
méritait. C'est seulement après avoir refermé le livre
que je fis cette singulière constatation : dans son
exhaustive typologie des pécheurs Dante avait omis

les entrepreneurs du bâtiment. L'esprit vibrant encore comme une cymbale charley, je repensai à la maison que j'avais rénovée quelques années auparavant et ne pus m'empêcher de céder à la nostalgie.

Tout commença avec l'achat d'un petit bâtiment de grès brun dans l'Upper West Side de Manhattan. Mlle Wilpong, de l'agence immobilière Mengele, nous avait assuré que nous faisions l'affaire du siècle : le prix ne dépassait pas en effet celui d'un bombardier furtif. Ledit logis était vendu « prêt pour emménagement immédiat » – et sans doute l'était-il, du moins pour une famille de romanichels ou des amateurs de bivouac sur gravats.

« C'est un défi, déclara ma femme, pulvérisant du même coup le record féminin de la litote en salle. Ça va être drôlement amusant de retaper cette maison. »

Je tâchai de faire contre mauvaise fortune bon cœur et, esquissant un pas de côté pour éviter une latte de plancher branlante, comparai les charmes de notre nouvelle maison à ceux de l'abbaye de Carfax, où le comte Dracula avait en son temps élu domicile.

« Imagine qu'on abatte cette cloison et qu'on fasse une grande cuisine américaine, suggéra ma moitié avec enthousiasme. Il y a de l'espace pour un bureau, et chaque enfant aura sa chambre. Moyennant un peu de plomberie, nous aurons des salles de bains séparées. Je parie que tu pourras même avoir cette salle

21

de jeux dont tu as toujours rêvé – histoire d'agrémenter tes envolées philosophiques d'une petite partie de flipper. »

Tandis que la mégalomanie architecturale de ma chère et tendre prenait des proportions de plus en plus délirantes, mon portefeuille se mit à palpiter dans ma poche de poitrine, tel un flétan pris à l'hameçon. Je vis s'évaporer mes économies amassées au fil d'années de labeur passées à rédiger éloges et oraisons pour Schneerson Frères Pompes Funèbres.

« Tu crois qu'on en a vraiment besoin, de cette maison ? demandai-je d'une petite voix aiguë, priant pour que sa forte envie d'accéder à la propriété s'estompe, tel un petit mal épileptique.

— Ce qui me plaît ici, c'est qu'il n'y a pas d'ascenseur, susurra ma moitié. Est-ce que tu imagines comme ça va faire du bien à ton petit cœur de monter et descendre à pied ces quatre étages ? »

N'ayant pas de projet de détournement de fonds à court terme, je ne voyais pas comment j'allais pouvoir financer cette nouvelle aventure. Il fallut que je déploie des trésors d'astuce pour obtenir un emprunt immobilier, que des banquiers sceptiques commencèrent par me refuser, avant de découvrir une brèche dans la législation sur les prêts usuraires. L'étape suivante consista à trouver un entrepreneur convenable. Au fur et à mesure que les devis pour les travaux arrivaient, je ne pus m'empêcher de penser que les prix annoncés correspondaient plutôt au budget de rénovation du Taj Mahal. J'optai finalement pour une estimation si raisonnable qu'elle en était suspecte, émanant du bureau d'un certain Max Arbogast, alias Chic Arbogast, alias Arbo-le-Bigleux – un petit ectomorphe au teint cireux dans les yeux duquel brillait cette lueur caractéristique que l'on retrouve chez le méchant dans les westerns de série B.

Lorsque nous nous rencontrâmes sur le chantier, une petite voix me souffla que ce type était effectivement capable de me tirer une balle dans le dos à la sortie du saloon-salle à manger. Alléchée par les charmes fétides d'Arbogast, ma femme, en revanche, succombait à sa vision coleridgienne des transformogrifications décisives qui pouvaient être effectuées, compte tenu du génie de l'entrepreneur... Nos rêves, nous certifia-t-il, seraient réalisés dans les six mois, et il promit de sacrifier son fils aîné si le budget dépassait le devis. Médusé par un tel professionnalisme, je lui demandai de s'occuper en priorité de notre chambre et de la salle de bains, de manière à ce que nous puissions emménager au plus vite. J'avais en effet hâte de quitter notre fief provisoire, le Dilapidado Hotel, dont les tarifs ne donnaient pas particulièrement envie de s'éterniser.

« Sans problème, répondit immédiatement Arbogast en sortant un contrat de sa valise, laquelle débordait de conventions, accords, protocoles, compromis, arrangements et autres documents commerciaux en tous genres, allant de la vente d'une Cord à traction avant et carrosserie surbaissée, à l'inscription dans un groupe musical de mimes masqués de Philadelphie. Signez-moi ça. On complétera plus tard. »

Il me tendit un stylo et guida ma main le long des pointillés sur un document comportant beaucoup de blancs, dont le sympathique contenu pourrait être déchiffré ultérieurement à la lueur d'une flamme basse, m'assura-t-il.

Dans la foulée, votre obligé eut droit à une étourdissante séance de signatures de chèques, afin de valider notre accord, et de manière à ce que l'entrepreneur puisse faire l'acquisition de certains matériaux.

« Soixante mille dollars de clous à bois, ça paraît beaucoup, fis-je d'une voix chevrotante.

— C'est sûr, mais on évite d'avoir à interrompre les travaux en plein milieu pour fouiller tout New York à la recherche d'un clou. »

Nous scellâmes notre camaraderie d'une poignée de main et allâmes boire un verre au troquet d'en bas, le Picolo, où Arbogast offrit le magnum de dom pérignon. C'est seulement après que le bouchon eut sauté qu'il se rendit compte que la compagnie TWA avait égaré ses bagages et qu'à l'instant même où nous trinquions, nos flûtes à la main, son portefeuille se morfondait à Zanzibar.

Je réalisai que nous étions tombés sur de parfaits incompétents trois mois plus tard, lorsque, plusieurs heures après avoir pris effectivement possession de notre domicile, je tentai d'utiliser la cabine de douche. Afin d'accéder à notre requête, les sbires d'Arbogast avaient détruit la salle de bains d'origine pour en reconstruire une autre à la place. Prenant pour modèle l'immense fissure dans la coque du *Titanic*, ils avaient transformé toute la salle d'eau en un royaume sous-marin, du moins s'il nous venait à l'idée, à ma femme ou à moi, de tourner un robinet. En sus, la tuyauterie avait été soigneusement calibrée de manière à produire une formidable pression doublée d'une telle intensité calorique que quiconque ayant eu l'infortune de se trouver sous la douche aurait été illico métamorphosé en homard thermidor. Après avoir transpercé d'un bond la porte en verre de la cabine, j'eus l'assurance, et ce en plusieurs langues baltiques, que tout serait arrangé incessamment. On n'attendait plus que l'arrivée imminente de canalisations dernier cri en provenance de Tanger. Il suffisait pour cela que tels et tels exilés politiques parviennent à s'échapper sans encombre de la casbah.

La chambre à coucher en revanche ne fut pas prête à la date convenue, en raison d'une épidémie de dengue dans la cité inca du Machu Picchu. En fait, il apparut que les travaux ne pourraient commencer tant que nous n'aurions pas reçu une cargaison vitale de bois d'Afrique – du bubinga et du wengé – qui avait été livrée par erreur à un couple portant le même nom que nous, mais résidant en Laponie. Heureusement, une palette rudimentaire fut posée à même le sol et nous pûmes nous installer sous un plafond de plâtre qui s'effritait par plaques. Après une nuit passée à tenter de résister aux poussières d'amiante et au boucan de la chasse d'eau, digne de l'ouragan Agnes, j'entrai enfin dans une transe hypnagogique. Qui s'interrompit d'ailleurs à l'aube lorsqu'un bataillon d'ouvriers s'attaqua à coups de pioche à un pilastre, tout en écoutant le stupéfiant *Casey Jones* du Grateful Dead.

Quand je fis remarquer que cette initiative ne faisait pas partie du projet initial, Arbogast – de passage en coup de vent pour s'assurer qu'aucun de ses gars n'avait été interpellé pendant la nuit dans l'un des bistrots louches qu'ils fréquentaient après l'heure réglementaire de fermeture – m'expliqua qu'il avait pris sur lui d'installer un système de sécurité ultra-perfectionné.

« De sécurité ? m'étonnai-je, me rendant soudain compte que j'étais plus vulnérable ici que dans notre vieil immeuble d'antan, où des portiers affables aux cheveux blancs recevaient de généreux pourboires pour se faire trouer la peau à la place des résidents.

— Absolument tout à fait, répondit-il en dévorant sa portion matutinale d'esturgeon en provenance directe des coffres genevois numérotés de chez Barney Greengrass. N'importe quel tueur en série entre ici comme dans un moulin. Vous avez peut-être envie de vous faire trancher la gorge pendant vot' sommeil ? Ou que vot' bien-aimée se fasse écrabouiller la cervelle par un vagabond en rogne contre la société et armé d'un marteau de tapissier ? Qui lui aura d'abord fait son affaire, ça va sans dire.

— Vous pensez vraiment que...

— C'est pas ce que moi je pense, mon petit monsieur. Cette ville grouille de types dérangés qui sont toujours à deux doigts de dérailler. »

Sur ce, il ajouta quatre-vingt-dix mille dollars au devis initial, qui décidément prenait des proportions dignes du Talmud, et n'avait d'ailleurs rien à lui envier en termes de possibilités d'exégèse.

Je ne tenais pas à ce que les ouvriers me toisent de leurs petits sourires, aussi insistai-je pour ne plus accepter de nouveau dépassement de budget sans avoir préalablement étudié le « ratio risque-rendement », formule que je maîtrisais à peu près autant que les principaux théorèmes de la mécanique quantique. Dans la mesure où plusieurs de mes avoirs boursiers juteux avaient disparu sans laisser de traces dans le triangle des Bermudes, je finis par annoncer au chef de chantier que je n'avais plus une piécette à mettre dans un système de sécurité anti-cambriolage. Mais à la nuit tombée, je fus paralysé au fond de mon lit en entendant le bruit caractéristique d'un maniaque sanguinaire en train de crocheter la porte d'entrée. Mon sang ne fit qu'un tour et mon cœur se mit à rejouer le bombardement de Dresde. Je passai sans attendre un coup de grelot à Arbogast et lui donnai le feu vert pour qu'il installe son coûteux détecteur de mouvements hightech *made in* Tibet.

Les mois passèrent, et la date de fin des travaux, déjà reculée une demi-douzaine de fois, continuait de s'éloigner, comme un pack de bières fraîches en plein désert. Les alibis rivalisaient en nombre avec les acolytes d'Ali Baba. Plusieurs plâtriers succombèrent à la maladie de la vache folle. Le bateau qui transportait le jade et les lapis-lazuli qui devaient servir à décorer la chambre de la nounou fit naufrage au large d'Auckland à cause d'un tsunami. Finalement, il s'avéra que le dispositif motorisé qui devait permettre au téléviseur de sortir du coffre situé au pied du lit ne pouvait être actionné que manuellement, et ce exclusivement par des elfes qui ne travaillaient qu'au clair de lune. Dans le bureau tout neuf, au beau milieu d'une conversation éblouissante entre moi-même et un prétendant au prix Nobel, je m'entendis hurler que c'était du boulot de sagouin, après que le sol se fut cabré, coûtant au lauréat potentiel ses deux dents de devant. Afin d'éviter un procès à l'issue incertaine, nous convînmes d'un dédommagement à l'amiable tout à fait astronomique, qui constitue, aujourd'hui encore, un record en la matière.

Quand je fis part à Arbogast de mon désarroi face aux dépassements de budget qui commençaient à sérieusement faire de l'ombre à l'inflation allemande des années vingt, il mit cela sur le compte de mes « sempiternels changements d'avis ».

« Relax, cousin, dit-il. Si vous arrêtez vos tergiversations, d'ici quatre semaines, vous entendrez plus parler d'Arbogast & Co. Sur la tête de Dieu.

— Ce ne sera pas trop tôt, fulminai-je. Je n'en peux plus d'avoir à vivre au milieu de ces tas de pierres. J'ai l'impression d'avoir emménagé à Stonehenge. Nous n'avons pas une once d'intimité. Tenez, hier, après avoir enfin réussi à me ménager un minimum de *Lebensraum*, je m'apprêtais à accomplir l'acte sacré de l'amour avec mon épouse adorée lorsque l'un de vos ouvriers m'a soulevé et reposé un mètre plus loin pour installer une applique.

— Vous voyez ces petites pilules ? fit Arbogast en m'adressant le genre de sourire que vous balancent les spécialistes de l'escroquerie postale. Ça s'appelle du Xanax. Allez-y, prenez-en, mais attention, un conseil, pas plus de trente par jour. Les études sur les effets secondaires n'ont pas été concluantes. »

Ce soir-là, à minuit précisément, un courant d'air déclencha le détecteur de mouvements. Je bondis hors de mon lit et restai figé en l'air, façon aéroglisseur. Persuadé de distinguer les bruits d'un loup-garou en train de monter les escaliers, je fouillai à la hâte parmi des cartons qui n'avaient pas encore été ouverts, à la recherche d'une pièce d'argenterie avec laquelle je pourrais défendre ma famille. Pris de panique, j'écrasai mes lunettes et chus tête la première sur un dauphin en porphyre qu'Arbogast avait importé pour parachever la décoration de la salle de bains de la jeune fille au pair. Le choc retentit dans mon oreille moyenne avec l'intensité du gong des films Arthur Rank de naguère, et me fit voir au passage trente-six aurores boréales en Technicolor. Je crois que c'est à ce moment-là que le plafond s'est écroulé sur ma femme. Apparemment, le pilastre qu'Arbogast avait abattu pour installer son système de sécurité était porteur, et tout un tas de parpaings choisirent cet instant pour s'effondrer.

On me retrouva au petit matin, pelotonné par terre, en sanglots. Mon épouse fut emmenée par une femme courtaude en tenue stricte, coiffée d'un chapeau d'homme à large bord, à qui elle répétait interminablement – comme Blanche Dubois – qu'elle avait toujours dépendu de la gentillesse d'inconnus. Nous avons fini par vendre la maison pour des clopinettes. Nous n'avons pas mégoté. Tout notre capital est parti en fumée. En tout cas, je ne suis pas près d'oublier la trombine des inspecteurs des travaux inachevés, le mélange de zèle et de consternation avec lequel ils ont énuméré les nombreuses irrégularités commises. Pour y remédier, il n'y avait que deux possibilités : la poursuite des travaux en engageant un autre entrepreneur ou l'acceptation d'une piqûre létale. Je me souviens aussi vaguement d'être passé devant un juge qui me lançait un regard noir, digne d'un cardinal du Greco, tandis qu'il m'infligeait une amende avec beaucoup trop de zéros. Mon épargne a été boulottée aussi vite que le saumon fumé lors d'une cérémonie de la circoncision. Quant à Arbogast, la légende veut qu'en essayant de subtiliser la tablette d'une cheminée géorgienne de luxe pour la remplacer par une copie en céramique, il se soit trouvé coincé dans le conduit. A-t-il finalement péri dans les flammes ? Je l'ignore. Toujours est-il que j'ai essayé de trouver dans l'Enfer de Dante une description qui lui corresponde, mais je suppose que ces grands classiques, on ne les réactualise jamais.

Tu es au parfum, Sam ?

La société Foster-Miller, par exemple, a récemment conçu un textile aux propriétés conductrices : chaque fil peut transmettre l'électricité... si bien que les Américains pourront un jour... recharger leur téléphone portable grâce à leur chemise polo. Technology Enabled Clothing a développé... un système d'hydratation : la poche arrière peut contenir une bouteille d'eau équipée d'une paille qui court le long du col jusqu'à la bouche de la personne... L'année prochaine, DuPont présentera un tissu capable de capturer temporairement les mauvaises odeurs – si bien qu'un costume ayant passé la nuit dans un bar enfumé arrivera à la maison à cinq heures du matin comme s'il avait passé les heures précédentes dans la fraîcheur des prés. Les scientifiques de DuPont ont également mis au point un tissu traité au

Teflon, sur lequel les liquides renversés rebondissent sans le souiller. La société coréenne Kolon a quant à elle développé le « costume odorant » aux arômes d'herbes apaisantes, contre l'anxiété...

Extrait de la section Magazine du
New York Times du 15 décembre 2002.

Je suis tombé sur Reg Noseworthy il y a quelque temps. Reg est un camarade de la Bonne Vieille Angleterre. Notre amitié remonte à la grande époque où nous jouions aux cartes, j'étais alors chargé de la rubrique poésie de *Haut-le-cœur, journal d'opinion.* À la vérité, nous en avons disputé, des parties de whist et de rummy, dans les salles enfumées du Pair of Shoes ou du Lord Curzon's Club, situé dans la rue du même nom.

« Je viens à New York de temps en temps, dit Noseworthy, à l'angle de Park Avenue et de la Soixante-quatorzième Rue. La plupart du temps pour affaires. Je suis vice-président de l'un des plus grands ossuaires de l'île de Wight, chargé des relations avec la clientèle. »

Je dirais que nous avons passé pas loin d'une heure à évoquer d'agréables souvenirs, et pendant tout ce temps je n'ai pu m'empêcher de remarquer que mon compagnon penchait par instants la tête en bas et sur la gauche. Manifestement il siphonnait un liquide par une sorte de robinet discrètement cousu dans le revers de son veston.

« Est-ce que ça va ? demandai-je finalement, m'attendant à moitié à ce qu'il me donne les détails d'un accident indescriptible, qui l'obligeait à recourir au nec plus ultra des intraveineuses ambulatoires. Tu ne serais pas plus ou moins au goutte-à-goutte ?

— Tu parles de ça ? fit Noseworthy en montrant sa poche de poitrine. Ah ah, tu es rudement observateur, espèce de fripouille. Non, ça, c'est un quasi-chef-d'œuvre de l'ingénierie et de la création haute couture. Tu n'es certainement pas sans savoir que toute la profession médicale ne jure plus que par l'absorption d'eau en grandes quantités. Apparemment, c'est excellent pour les reins, et les bienfaits annexes sont légion. Eh bien figure-toi que ce costume tropical en laine peignée possède son propre système d'hydratation intégré. Il y a un réservoir à l'intérieur de la jambe gauche, équipé d'une série de tuyaux qui font le tour de la ceinture et montent jusqu'à un robinet discrètement inséré dans l'épaulette. J'ai un ordinateur digital piqué sur la longueur de l'entrejambe qui me permet d'activer une pompe située au creux des plis ; l'Évian circule par cette paille en fibre optique. Grâce à sa coupe ingénieuse, le costume est toujours impeccable. Tu es d'accord avec moi, je suis sûr, le vêtement en dit toujours long sur la classe de celui qui le porte. »

J'examinai le costume de Noseworthy avec une incrédulité habituellement réservée aux apparitions d'OVNI, et je dus reconnaître que cela frisait le miracle.

« Il y a un tailleur haut de gamme sur Savile Row, dit-il en me fourrant l'adresse dans la paume. Bandersnatch & Bushelman. Des tissus postmodernes. Je te garantis que tu vas vouloir remettre au goût du jour toute ta garde-robe – ce qui, entre nous soit dit, ne sera pas du luxe, parce que tes nippes, dis donc, on frise l'hommage à Emmett Kelly, hein ! Dis-leur bien que c'est moi qui t'envoie et demande à parler à Binky Peplum. Il saura comment te rhabiller, il sait s'adapter à toutes les bourses. »

Tout en faisant semblant, au nom du bon vieux temps, de me bidonner à cette mauvaise blague, j'eus envie de l'empaler sur un pieu. Sa comparaison avec l'accoutrement du fameux clown vagabond m'avait piqué au vif. Aussi résolus-je d'investir dans un complet taillé sur mesure dès que mes « miles » me permettraient un voyage gratuit en Angleterre. Le rêve devint réalité à la fin de l'été, et je pus ainsi franchir le portillon high-tech de Bandersnatch & Bushelman, sur Savile Row. Là, je fus dévisagé par un vendeur – ou peut-être s'agissait-il d'une mante religieuse en gabardine – avec l'intérêt distant qu'on porte en bactériologie à un curieux échantillon dans une boîte de Petri.

« Il y en a encore un qui vient d'entrer, lança-t-il à l'intention de son collègue. Dis donc, mon brave, me lança-t-il d'une voix de juge au tribunal, si je te donne une demi-guinée, comment puis-je être certain que tu iras bien t'acheter un bol de soupe et non pas de la bière ?

— Je suis un client, couinai-je en rougissant. Je viens d'Amérique pour remettre ma garde-robe au goût du jour. Reg Noseworthy est un camarade. Il m'a dit de m'adresser à M. Binky Peplum.

— Ah ah, fit le vendeur en fixant précisément ma veine jugulaire, ne cherchez plus. Maintenant que vous me le dites, ça me revient en effet, Noseworthy nous a prévenus que quelqu'un dans votre genre passerait peut-être. Oui, il a parlé de vous. Absence totale de style, amateur de cartes, l'as de pique en personne, je m'en souviens, maintenant.

— Certes, je n'ai jamais eu pour objectif de jouer les dandys, expliquai-je. Je suis venu simplement afin qu'on prenne mes mesures. C'est pour un costume.

— Est-ce qu'il y a des arômes en particulier qui vous intéressent ? demanda Peplum, qui sortit son carnet de commandes en adressant un clin d'œil à l'un de ses collègues.

— Des arômes ? Non, je cherche un trois-boutons bleu, normal, de coupe classique. Peut-être quelques chemises. Je pensais à un coton Sea Island, si ce n'est pas trop coûteux. Encore que, puisque vous en parlez, je crois en effet détecter une odeur d'encens et de myrrhe.

— C'est mon costume, avoua Peplum. Notre nouvelle ligne propose une large gamme d'odeurs. Jasmin de nuit, essence de rose, parfum de Mecque. Ramsbottom, vous pouvez venir, s'il vous plaît ? »

Comme par magie, un autre vendeur apparut immédiatement.

« Ramsbottom porte du petit-pain-tout-chaud, poursuivit Peplum – enfin, je parle de son arôme. »

Je me penchai en avant pour humer l'odeur délicieuse du pain qui sort du four.

« Hum, j'en ai l'eau à la bouche, fis-je. Enfin, je veux dire : superbe, ce mohair.

— Nous pouvons imprégner vos vêtements de n'importe quelle odeur, ça va du patchouli au porc à la sauce aigre-douce. Merci, Ramsbottom, ce sera tout.

— Je veux juste un costume bleu tout simple. Encore que la flanelle grise me tente, ajoutai-je en gloussant.

— Chez Bandersnatch & Bushelman, nous ne faisons pas de tissus simples, me confia Peplum sur un ton de conspirateur. Allons, soyez moderne, que diantre ! »

Peplum s'empara alors d'une veste rayée très chic posée sur un des mannequins du magasin, et me la tendit.

« Tenez, souillez-moi ça, dit-il.

— Pardon ? Que je salisse la veste ? m'étonnai-je.

— Oui. Je vous connais très peu, mais je suis certain que vous souillez vos vêtements. Vous savez, du gras, de la colle Elmer, de la crème au chocolat, de la vinasse, du ketchup. Je me trompe ?

— Oh, je suppose que je suis comme tout le monde, il m'arrive de faire des taches, bredouillai-je.

— Oui, enfin, tout le monde n'est pas un goret, me fit remarquer Peplum. Laissez-moi vous faire essayer quelques échantillons. »

Sur ce, il me tendit une assiette sur laquelle étaient disposés divers onguents et sauces, un échantillon de produits dangereux pour le tissu.

« Vous y tenez vraiment ?

— Oui, oui étalez un peu de confiture aux deux fruits rouges sur la veste ou du sirop au chocolat, si vous préférez. »

Je pris mon courage à deux mains et, défiant des années de conditionnement social, versai une bonne cuillerée d'huile de moteur sur le tissu : pas la moindre trace sur l'étoffe. Je fis la même constatation avec la suie, le jus de tomate, la pâte dentifrice et l'encre de Chine.

« Regardez la différence si je badigeonne vos vêtements de ces mêmes substances, annonça Peplum en aspergeant mon pantalon d'une bonne giclée de sauce pour bifteck. Regardez, le tissu se décolore. Et des taches comme ça, j'aime autant vous prévenir, ça ne se récupère pas.

— Je vois, je vois, oui. c'est épouvantable, dis-je, choqué.

— Le mot est bien choisi, gloussa Peplum. Fichu à jamais. Alors que pour quelques livres sterling de plus, vous n'aurez plus jamais ce genre de souci. Finies les sempiternelles visites au pressing. Ou tenez, imaginez que les tout-petits se mettent à peindre avec les doigts sur votre veste sport en vigogne.

— Je n'ai pas envie d'une veste sport en vigogne, protestai-je. Et plutôt qu'acheter un habit trop cher, je préfère utiliser un détachant.

— À propos, fit remarquer Peplum. Nous avons également un tissu qui fait disparaître toutes les odeurs. Je veux dire, je ne sais pas comment est votre femme, mais enfin j'imagine bien.

— Comment ça ? C'est une femme ravissante, m'empressai-je de répondre.

— Ma foi, vous savez que ce type d'appréciation est toujours relatif. Moi, je risque de la trouver sexy comme un bol d'asticots pour la pêche.

— Attendez, là, protestai-je.

— Ce ne sont que des suppositions. Imaginons une réceptionniste avec un petit derrière qui se trémousse, impossible de regarder ailleurs. De longues jambes bronzées, un décolleté affolant et un petit minois, je vous dis pas. Et disons qu'elle est tout le temps à se passer la langue sur les lèvres. Voyez ce que je veux dire, l'ami ?

— Vous allez peut-être me trouver bouché, fis-je d'une voix hésitante.

— *Peut-être* ? Mon pauvre vieux, il va falloir que je vous fasse un dessin. Disons que ce petit lot, vous le tringlez dans tous les motels à la lisière des trois États de New York, du New Jersey et du Connecticut.

— Enfin, jamais je ne...

— Je vous en prie. Avec moi, votre secret est bien gardé. Maintenant vous rentrez au bercail et bobonne remarque que votre veste à carreaux sent l'eau de parfum *Quelques Fleurs*. Ça y est, vous voyez où je veux en venir ? La minute d'après, soit vous commencez à vraiment vous faire du mauvais sang parce que ça schlingue la pension alimentaire à vie, soit la bourgeoise devient zinzin et vous finissez comme sur les photos de Weegee avec un trou purulent entre les deux yeux.

— Ce n'est pas vraiment un problème pour moi, dis-je. Je veux juste un costume décontracté mais élégant pour les grandes occasions.

— Oui, bien sûr, mais tout de même avec un œil tourné vers le futur. Nous ne nous contentons pas de tailler des costumes, nous habillons nos clients dans un environnement postmoderne. Quelle profession exercez-vous, monsieur ?

— Duckworth – Benno Duckworth. Vous avez peut-être lu mon traité sur le dimètre et l'anapeste.

— Ah ça, je ne pourrais l'affirmer, dit Peplum. Mais vous me donnez l'impression d'être quelqu'un de particulièrement lunatique. Voire caractériel. Pour ne pas dire maniaco-dépressif. Il serait sot de le nier. Dans le très bref temps que nous avons passé ensemble, j'ai bien vu que votre personnalité oscillait entre le bon-enfant-pépère et le tout-près-de-disjoncter ; avec, pour peu qu'on appuie sur les bons boutons, une franche tendance à l'homicide.

— Je vous assure, monsieur Peplum, je suis quelqu'un de stable. Là, mes mains tremblent, mais c'est parce que je ne veux rien d'autre qu'un costume bleu – pas un environnement. Juste un habit qui témoigne d'un certain standing, mais discrètement, avec subtilité.

— J'ai exactement ce qu'il vous faut. Une fine laine écossaise. Tissée avec notre propre cocktail secret « bonne humeur » qui procure un sentiment permanent de bien-être.

— Un bien-être sans motif, rétorquai-je avec une pointe de sarcasme.

— Un bien-être intégré au motif du costume. Supposons que vous ayez perdu votre portefeuille avec toutes vos cartes de crédit. Vous rentrez à la maison, et là vous apprenez que votre trésor adoré a plié la Lamborghini. Par-dessus le marché, vos marmots ont été kidnappés. La demande de rançon est huit fois supérieure à la totalité de vos économies. Vous voulez revoir un jour vos enfants ? Avec cette veste sur le dos, vous restez de bonne humeur, vous conservez vos manières affables. À la vérité, votre triste sort vous paraîtra même plaisant.

— Et les enfants ? demandai-je terrifié. Où sont-ils ? Ligotés et bâillonnés quelque part dans un sous-sol ?

— À partir du moment où vous portez nos textiles antidépresseurs, vous voyez la vie en rose.

— D'accord, concédai-je. Mais lorsque j'enlèverai le costume, ne vais-je pas ressentir comme une impression de manque ?

— Euh eh bien, il y a effectivement des personnalités faibles qui ont tendance à sombrer dans la dépression après avoir tombé la veste. Pourquoi pensez-vous avoir un jour l'envie d'ôter le costume ?

— Ma foi, commençai-je en me repliant vers la sortie de secours. Il va falloir que je rentre à la maison. J'ai un raton laveur à traire. »

Je refermai les doigts sur mon vaporisateur de gaz poivré, au cas où quelqu'un aurait voulu empêcher ma fuite. Mais c'est alors que mon attention fut atti-rée par un étonnant modèle marine, que Peplum ne m'avait pas encore montré.

« Ah, ceci ? fit Peplum lorsque je demandai à en savoir davantage. L'étoffe est tissée de fils élec-triques conducteurs. Non seulement le costume a fière allure mais il vous permettra en outre de rechar-ger votre téléphone portable. Il suffit d'un simple frottement sur la manche avant de passer votre coup de fil.

— Voilà qui me plaît déjà plus », dis-je en m'imaginant dans ce costume à la fois élégant et pra-tique, qui indiquerait néanmoins subtilement à mes contemporains mon appartenance au camp de l'avant-garde.

Peplum comprit qu'il touchait au but. Il sortit son carnet de commandes et avança ses pions pour conclure cette vente avec l'efficacité implacable du fameux « mat à l'étouffée » de Philidor. Tandis que je sortais un chèque et acceptais son Mont Blanc, le cœur allègre à l'idée de réaliser une excellente affaire, je vis accourir Ramsbottom, le visage livide.

« Nous avons un petit ennui, Binky, chuchota-t-il.

— Vous êtes tout pâle, lui fit remarquer Peplum.

— Notre costume à recharge immédiate pour télé-phones mobiles, dit Ramsbottom d'une voix chevro-tante. Celui qu'on a vendu hier – vous vous souvenez – du cachemire avec fils électriques conducteurs microscopiques. Le modèle sur lequel il suffit de frotter le portable pour avoir du jus.

— Pas maintenant, rétorqua Peplum en toussotant. Je suis avec, hum, enfin vous voyez bien, ajouta-t-il en me désignant d'un coup d'œil.

— Hein ? marmonna Ramsbottom.

— Mais si, vous savez, lui répondit Peplum, il en naît un à la minute... Hum, je suis occupé avec un gogo, bon sang.

— Ah oui, répondit le collègue manifestement perturbé. C'est juste qu'en sortant d'ici, le zigoto avec le costume qui recharge les téléphones mobiles a effleuré la poignée de sa voiture. Il a rebondi sur Buckingham Palace. Il est aux Urgences.

— Tiens donc ! s'exclama Peplum, passant à toute vitesse en revue les questions de responsabilité qui allaient se poser. Le contact avec le métal est fatal, lorsqu'on est ainsi paré, ce monsieur aurait dû le savoir. Bon, prévenez sa famille, moi je vais aviser notre service juridique. C'est la quatrième fois ce mois-ci qu'un client en costume conducteur se retrouve entre la vie et la mort. Bien, où en étais-je ? Eh, monsieur Duck-muche ? Monsieur Duck-bidule ? Où donc est-il parti ? »

Qu'il essaye de me retrouver, tiens. Du courant électrique dans le pantalon ? Voilà exactement le genre de perspective qui m'a fait bondir directement jusqu'à chez Barney's, où j'ai fait l'acquisition d'un costume trois-boutons en solde. Du prêt-à-porter ; tout sauf postmoderne. Comme quoi ces histoires de costumes ne tiennent parfois qu'à un fil.

LES JOLIES COLONIES DE VACANCES
« COUPEZ ! »

Envoyé jadis sur les bords de lacs aux noms indiens, après avoir été au préalable chloroformé et ligoté, pour apprendre la nage dite du « petit chien » sous l'œil torve d'un Kapo qui se faisait appeler « moniteur », j'ai récemment été intrigué par certaines annonces de la section Magazine du *Times*. Parmi les établissements habituels à qui les parents nantis pouvaient confier leur geignarde progéniture afin de savourer en paix le coma des mois de juillet et d'août figuraient des camps de vacances spécialisés : la colonie basket, la colo magie, la colo informatique, la colo jazz et, la plus glorieuse de toutes peut-être, la colo cinéma.

Apparemment, au milieu des grillons et de l'herbe à poux, l'adolescent qui rêve de faire du cinéma peut passer son été à apprendre comment remporter un oscar : dialogues ciselés, angles de caméra imparables, jeu d'acteur, montage, mixage. Bref, pour autant que je sache, toutes les astuces pour s'acheter une belle baraque à Bel Air, avec service de voiturier. Pendant que les adolescents moins inspirés s'amusent à déterrer des pointes de flèche, un certain nombre de von Stroheim en herbe ont réellement les moyens de réaliser leur propre film – un projet estival autrement plus chic que d'apprendre à faire des nœuds pour ensuite se trimballer avec ses clés de patins à roulettes accrochées autour du cou.

Qu'elle paraît loin, la colo du Mélanome que tenaient Moe et Elsie Varnishke à Loch Sheldrake. J'y ai passé l'été caniculaire de mes quatorze ans à jouer à la balle au prisonnier tout en assurant à moi tout seul la solvabilité de l'industrie des pommades anti-démangeaison. Pas évident d'imaginer un couple papa-maman comme les Varnishke à la tête d'une colonie de vacances « spécial ciné ». Il aura fallu les vertus hallucinatoires du poisson blanc fumé que j'ai mis dans tous ses états au Carnegie Delicatessen Restaurant pour que la correspondance ci-dessous voie le jour.

Cher Monsieur Varnishke,

À présent que l'automne est là, parant le feuillage de sa splendide palette rouille et ambre, je dois interrompre mon occupation quotidienne, à l'angle de William Street et Wall Street, pour vous remercier. Vous avez en effet offert à mon fils Sargasse un été riche et productif dans votre paradis rustique, certes traditionnel, mais néanmoins tourné vers l'innovation. Le récit qu'il nous a fait de ses randonnées pédestres et de ses sorties en canoë nous a frappés par leur ressemblance avec des passages entiers de Sir Edmund Hillary ou de Thor Heyerdahl. Ce fut à n'en pas douter le contrepoint parfait aux heures intenses et grisantes qu'il a passées en votre compagnie à apprendre les différentes techniques cinématographiques. Quant au fait que la société Miramax ait jugé que ce film, tourné en huit semaines, était suffisamment abouti au point de nous proposer seize millions de dollars pour son exploitation en salle, cela va au-delà du rêve de n'importe quel parent, même si sa mère et moi avons toujours su que Sargasse était un garçon particulièrement talentueux.

Ce qui m'a étonné en revanche, l'espace d'une nanoseconde, c'est votre lettre, qui suggérait que la moitié de la somme susmentionnée vous était due. Comment un couple aussi charmant que vous et Mme Varnishke a-t-il pu succomber à ce mirage relevant de la pure psychose ? Imaginer pouvoir empocher une part, fût-elle infime, des fruits de la création de mon fils, voilà qui défie la raison. Aussi me dois-je de vous assurer par la présente que même si le film de mon fiston a été tourné parmi les bidonvilles délabrés que vous n'hésitez pas à qualifier, dans votre brochure publicitaire, de « Hollywood des Catskills », il est exclu que vous perceviez le moindre pourcentage de la manne qui revient en toute logique à la chair de ma chair, en récompense de son chef-d'œuvre cinématographique. Ce que j'essaye de vous dire en y mettant les formes, n'est-ce pas, c'est que vous-même et l'avaricieuse salamandre qui partage votre couche, et qui, à n'en pas douter, vous a dressé contre moi, pouvez aller vous faire voir.

Bien cordialement,

WINSTON SNELL.

Monsieur Snell, mon très cher,

Mille mercis pour votre prompte réponse à mon modeste courrier. J'apprécie que vous reconnaissiez que l'œuvre cinématographique de votre fils n'aurait pu voir le jour ailleurs que dans l'environnement idyllique de notre charmante colonie que vous qualifiez de « bidonville » dans une missive qui, je peux vous le garantir, servira de pièce à conviction n° 1 au tribunal. À propos d'Elsie, il n'existe pas de femme plus admirable. Votre sens de l'humour plus que douteux vous a fait ironiser sur ses varices, lors de votre venue. Or je vous signale que vous n'avez pas provoqué un seul sourire, même parmi les aides-serveurs qui pourtant la détestent comme la mort. Avant d'ouvrir votre clapet pour débiter vos plaisanteries sur les salamandres, vous devriez savoir que mon épouse est une femme dévouée, atteinte de la terrible maladie de Ménières. Vous feriez mieux de me croire quand je vous dis qu'elle ne peut quitter le lit le matin sans se cogner la tête contre la commode de notre chambre. Si vous étiez affligé de la sorte, vous ne feriez sans doute pas votre petite partie de tennis hebdomadaire à l'Athletic Club avec vos amis en pantalons écossais qui attendent tous d'être mis en examen. Personnellement, je n'empoche pas des sommes à six chiffres en spéculant avec les retraites des autres, moi. Je gère une honnête colonie de vacances avec ma femme et j'ai démarré avec les faibles économies de notre magasin de bonbons ; à l'époque nous ne pouvions nous payer de la carpe qu'une fois par semaine. Et encore, il fallait en vendre, du bonbec. Toutefois, le film de votre fils a été supervisé par – je devrais même dire réalisé en collaboration avec – notre équipe ultra-performante qui, parole de Varnishke, constituerait d'ailleurs de précieuses recrues pour n'importe quel grand studio ; ça nous éviterait peut-être leurs sempiternelles *chazerai* pour débiles de dix ans d'âge mental. Un type comme Sy Popin, qui a personnellement assisté votre petit *lustig* lorsqu'il a fallu jeter des idées sur le papier, est l'un des plus grands talents méconnus de Hollywood. Il aurait pu remporter cinquante Academy Awards s'il n'avait pas, une seule malheureuse fois, été repéré au Mexique en train de dîner avec sa femme en compagnie du couple Trotsky, mésaventure à cause de laquelle ces dégonflés de *shmendricks* n'ont jamais voulu l'embaucher. Notre monitrice de théâtre, Hydra Waxman, a quant à elle renoncé à une carrière prometteuse à l'écran pour faire gracieusement don de son temps – du moins jusqu'à ce jour – afin de transmettre son savoir aux *vilde chayas* adolescents. La brave femme – paix à son âme, mais pas tout de suite, attendons qu'elle soit morte – a personnellement dirigé la troupe amateur du film de votre fils. Elle a réussi à trouver chez ce ramassis de *trumbin-kicks* le peu de talent qu'il y avait en eux, pendant que votre petit *momsa* était assis sur la touche à bayer aux corneilles.

Enfin, Môssieu le *macher* de Wall Street, notre équipe peut s'enorgueillir de la présence de Lou Knockwurst, un homme de talent qui a été récompensé pour ses prouesses de monteur lors de manifestations cinématographiques de prestige, tels le festival du Tanganyika et celui d'Auckland. Le brave Lou a littéralement – que ma femme périsse sur-le-champ dans un bain d'acide si je mens – assisté votre *schlamazel* de Sargasse à qui, si vous voulez mon avis, quelques copieuses doses de Ritalin de temps en temps ne feraient pas de mal pour calmer sa perpétuelle bougeotte. Knockwurst a personnellement supervisé les séances de montage sur Avid en lui montrant où couper ses scènes. Au demeurant, je vous rappelle que le gamin a utilisé notre équipement, cette espèce de *klutz* a tripatouillé une Panavision toute neuve, qui fait maintenant un drôle de bruit quand j'appuie sur le bouton, comme lorsqu'on tourne lentement la manivelle en bois de ces petits tourniquets en fer-blanc censés émettre un joyeux grincement – Elsie appelle ça des *groggers*. Cependant je ne vous enverrai pas la facture, puisque nous allons bientôt être associés dans une nouvelle aventure.

Je vous prie d'agréer, Monsieur, l'expression de mes sentiments respectueux.

MONROE B. VARNISHKE.

Cher Monsieur Varnishke,

Suggérer que votre équipe de bras cassés se situe au-delà de l'orang-outan sur l'échelle de l'évolution relève de l'hyperbole la plus azimutée. Associés dans une nouvelle aventure ! ? Vous venez d'avoir un infarctus silencieux ou quoi ? Premièrement, que les choses soient claires, l'idée du scénario de Sargasse vient de lui et uniquement de lui ; elle s'inspire d'une expérience que toute notre famille a vécue, lorsque notre entrepreneur local de pompes funèbres a cru, à tort, avoir remporté le prix Nobel. Qu'un traître de la trempe de Popkin, qui a probablement divulgué à Trotsky des secrets atomiques devant un plat de *tacos*, ait contribué, ne fût-ce qu'à concurrence d'une virgule, au scénario de mon *wunderkind*, c'est à peu près aussi crédible que la légende du Loch Ness.

Pour ce qui est de votre poivrote, Mlle Hydra Waxman, une rapide recherche sur Internet m'apprend qu'elle n'est jamais apparue dans un seul film de millimétrage supérieur à huit, et encore, uniquement sous le nom de Annic Sucettal. À ce propos, saviez-vous que votre Knockwurst ne fera plus jamais de montage à Hollywood, parce que Henry Fonda a fini par en avoir marre d'apparaître tête en bas à l'écran ? Sargasse m'a également informé que la caméra que vous lui avez fournie, loin d'être toute neuve, avait constamment des ratés, et ce, semble-t-il, depuis que vous l'avez jetée sur une maître nageuse de dix-neuf ans qui refusait vos avances.

Mme Varnishke considère-t-elle d'un bon œil que vous ayez des vues sur le personnel féminin ? À propos, je suis navré pour mes remarques désobligeantes sur le système circulatoire de votre femme. Mon sens de l'humour est en effet parfois trop acéré. Fasciné par la myriade d'affluents bleus qui strient sa topographie, je n'ai pu m'empêcher de faire un commentaire facétieux sur les rapprochements qui s'imposaient avec un bassin hydrographique.

Sachez que cette lettre met fin à tout contact entre nous. Toute correspondance ultérieure devra être envoyée directement au cabinet Gerbitch & Dégueulski, avocats à la cour.

Tchüss, ducon.

WINSTON SNELL.

Monsieur Snell, mon très cher,

Je remercie Dieu de m'avoir doté d'un certain sens de l'humour : ainsi, je peux me faire un peu charrier sans pour autant me précipiter sur un de ces magazines d'armes par l'entremise desquels il est si facile d'engager des tueurs professionnels. Je vais vous rendre service en vous rappelant certains faits. Pas une seule fois en quarante ans je n'ai regardé une autre femme qu'Elsie. Et je peux affirmer en toute candeur que ça n'a pas éte tous les jours facile. Je suis en effet le premier à admettre qu'elle n'est pas de ces beautés bien *zaftig* qui s'exhibent en des positions langoureuses dans ces revues livrées par des bateaux en provenance de Copenhague, et que vous attendez probablement sur les quais, la bave aux lèvres.

Deuxièmement, dites-moi, juste par curiosité : où êtes-vous aller pêcher l'idée que votre petit *vontz* de fils était un *wunderkind* ? La seule explication est que vous êtes de ces *maven* qui barbotent dans le pognon en tétant leur cigare et s'entourent de carpettes qui disent amen à toutes leurs lubies. Je vois d'ici le tableau : on vous sert tous les bobards que vous voulez entendre et on pouffe dès que vous avez le dos tourné. Quand Elsie et moi possédions le magasin de bonbons, nous avions embauché un crétin qui faisait le service ; je l'employais par égard pour sa maman, dont l'opération de la hanche avait mal tourné : les médecins lui avaient par erreur greffé le foie d'un Chinois. Enfin bref, même ce pauvre demeuré qui avait un QI à deux chiffres, à côté de votre Sargasse, c'était Isaac Newton. À propos, c'est l'été où Benno, le neveu d'Elsie, a remporté le concours d'orthographe. Le gamin savait orthographier correctement « mnémonique » et il n'avait que huit ans. Voilà un môme que je qualifierais de brillant, ce qui n'est certainement pas le qualificatif que j'utiliserais pour votre blondinet, cet abruti des Carpates qui a eu la chance de ne fréquenter que des écoles privées, en plus de ses cours particuliers, ce qui ne l'empêche pourtant pas d'être incapable de se rappeler son nom sans vérifier sur l'étiquette de son tee-shirt.

En attendant, au lieu de me menacer de procès, vous feriez mieux de dire à vos avocats véreux que, s'ils regardent attentivement, ils constateront qu'ils ne possèdent pas une seule copie sur pellicule du film qui fait galoper les Weinstein Brothers comme deux spéculateurs immobiliers, qui offrent tout de même un chèque de seize millions. Le seul original existant, c'est nous qui l'avons, ici, dans un bungalow. Je prie juste pour qu'il ne lui arrive rien de fâcheux, d'autant que Mme Varnishke a déjà malencontreusement fait tomber de la graisse de poulet sur la scène d'ouverture.

MOE VARNISHKE.

Varnishke,

J'ai pris connaissance de votre dernière lettre avec un mélange de pitié et de terreur – cette bonne vieille recette de la tragédie aristotélicienne. Pitié car à l'évidence vous ignorez qu'en conservant le négatif du film de mon fils vous commettez une petite entorse à la loi plus connue sous le terme de « vol qualifié ». Et terreur parce que j'ai fait un rêve prophétique la nuit dernière : votre peine de prison avait été prononcée et vous vous preniez un mauvais coup de tournevis dans les entrailles – initiative regrettable d'un codétenu costaud de la prison d'Angola, en Louisiane.

Certes nous pourrions refabriquer un négatif à partir de la copie que nous avons, mais il serait de qualité inférieure. Aussi je vous suggère de m'envoyer immédiatement l'original avant que sa texture délicate ne soit davantage souillée de graisse de poulet ou de je ne sais

quel autre condiment immonde qu'utilise la gar-
gouille qui vous dévisage le matin au petit
déjeuner pour rendre sa bouffetance mangeable.
Ma patience va vite atteindre ses limites.

WINSTON SNELL.

Écoutez-moi bien, Snell,

C'est vous et non pas moi qui allez vous
retrouver au trou. Et si ce n'est pour avoir
essayé de vendre un film dont vous n'êtes pas
vous-même propriétaire, alors ce sera pour une
sombre affaire de chèques en bois. Eh oui, figu-
rez-vous que votre génie de fiston baragouine
pendant son sommeil. Or son hobby, à ma Elsie,
c'est de taper à la machine. En attendant, voyez-
vous, j'essaye de protéger le négatif, mais
croyez-moi ce n'est pas si facile. D'abord il y a
mon neveu Shlomo, il aura six ans la semaine
prochaine, un gamin adorable qui connaît par
cœur toutes les paroles de *Ragmop* à la fois en
yiddish et en anglais. Mais il faut regarder les
choses en face, il est à un âge turbulent ; là, par
exemple, armé d'une pierre coupante, il a rayé
le milieu de la deuxième bobine. Il adore sortir
le négatif de la boîte et gratter l'émulsion avec
un canif. Pourquoi ? Allez savoir ! Je sais qu'il

adore grattouiller, il en *kvelle* de bonheur. Sans parler de ma sœur Rose qui a fait tomber du Lubriderm sur la bobine numéro sept. La pauvre femme. Son mari est décédé récemment, terrassé par une crise cardiaque – c'est pourtant pas faute de l'avoir prévenu, je lui avais bien dit : quand elle sort de la douche, surtout, ne regarde pas. Quoi qu'il en soit, quel dommage que vous soyez si obtus, parce qu'à nous deux, vous qui êtes un homme de principes, nous pourrions en tirer un beau pactole, de ce film. À propos, c'est quoi, cette histoire de « chèques en bois » et en quoi est-ce interdit par la loi ? Il faut que je file, le chien a le négatif dans la gueule.

Varnishke.

Varnishke,

Espèce de vile paramécie. Je vous offre une participation de dix pour cent sur les droits de diffusion du film de Sargasse. Vous ne méritez pourtant pas de toucher un traître sou mais ce que vous méritez en revanche, pour parler comme vous, c'est un bon *shpritz* d'insecticide Raid.

Je vous suggère de saisir au vol la perche que je vous tends avant que je ne change d'avis, vu que ce sera peut-être le seul moyen pour vous d'échapper à l'univers estival sordide des réalisateurs pubescents pour accéder aux délices de Miami ou des Bermudes. Peut-être que si vous y mettez le prix, un bon chirurgien esthétique réussira un ravalement intégral de Mme Vanishke. Qui sait, peut-être sera-t-elle même tolérée sur une plage publique ?

Winston Snell.

Mon grand, très cher,

Elsie est sortie de son coma. Elle a eu un accident en voulant installer des pièges à souris. Elle s'est trop penchée pour sentir le fromage, elle voulait s'assurer qu'il était bien frais. Et boum ! En tout cas, elle a repris conscience juste assez longtemps pour me souffler à l'oreille ces quelques mots : « Vingt pour cent, pas moins. » Puis elle est retombée dans les pommes, comme ces poupées qui clignent les yeux quand on les penche. En attendant, à la minute où vous aurez apposé votre signature en bas du contrat – en présence d'un notaire, a-t-elle également précisé – non seulement vous récupérerez le négatif, mais en plus Elsie fait un chou farci succulent. Nous ajouterons gracieusement deux portions au colis. Mais renvoyez-nous les bocaux, s'il vous plaît. Bonne continuation et longue vie à vous.

Votre nouvel associé MOE VARNISHKE.

NOTRE PÈRE QUI ÊTES SUR LA TOILE

Le site de ventes aux enchères en ligne eBay a atteint une nouvelle dimension spirituelle avec le cas d'un vendeur qui propose des prières contre de l'argent. Un certain Prayer Guy – l'Homme aux Prières – basé dans le comté de Kildare, en Irlande, a mis cinq prières en vente en partant sur la base d'un tarif initial de une livre par prière. Les acheteurs sujets à un besoin spirituel pressant peuvent, pour cinq livres, procéder à un achat immédiat. L'Homme aux Prières promet dès réception du paiement un « service adapté aux exigences du client » et une confirmation de prière par courrier électronique. Un représentant de la société eBay a déclaré que ce type de ventes était plus courant sur le site américain.

Londres, *The Guardian*, le 15 août 2005.

Lorsque les résultats d'audience furent connus et qu'on apprit que « La Danse de l'ombudsman » avait enregistré un score de moins trente-quatre points, il y eut un débat chez Nielsen pour savoir si cela signifiait que les gens qui étaient tombés dessus par hasard avaient ensuite mis le feu à leur téléviseur. Au final, l'argument financier l'emporta et notre équipe fut convoquée dans le bureau de Phil Fulsome, le producteur ; chaque auteur eut le choix entre la démission et la possibilité de se retirer dans une pièce isolée avec un revolver. Je ne minimiserai pas ma responsabilité en tant que participant à ce que *Variety* a qualifié de « fiasco comparable à la météorite qui a fait disparaître les dinosaures de la surface de la Terre ». Je dirai seulement pour ma défense qu'au départ, moi, je suis plutôt un comique, et que j'ai été appelé à la rescousse à la dernière minute pour émailler le récit dramatique de traits d'humour.

Je ne peux pas dire que mon travail pour la télé, ces derniers temps, ait été couronné de succès. Toutes les séries auxquelles mon nom a été associé ont fait flop, flop et reflop. Mon agent Gnat Louis mettait de plus en plus de temps pour répondre à mes appels. Finalement, j'ai réussi à l'alpaguer au Carnegie Delicatessen Restaurant. Attablé devant un plat de figues Kadota, il m'a mis au parfum : dans la profession, le nom de Hamish Specter était synonyme de cyanure de potassium.

Loin de me laisser démonter par la tournure récente des événements, mais ayant toutefois besoin d'un apport calorique journalier minimum pour continuer de faire encore partie du monde des vivants, j'épluchai les petites annonces. C'est ainsi qu'en parcourant le *Village Voice*, je tombai sur cette curieuse offre d'emploi : *Recherchons barde pour rédiger textes particuliers – bonne rémunération – athées s'abstenir.*

Si mon adolescence s'était caractérisée par une absence de foi, j'en étais récemment venu à croire en l'existence d'un Être suprême, après avoir feuilleté le catalogue de lingerie féminine Victoria's Secret. Songeant que c'était peut-être là la voie royale pour gratter un peu de fraîche, je me rasai de près et revêtis mon plus bel habit, un costume trois-boutons qui aurait fait pâlir d'envie n'importe quel porteur de cercueil. Après avoir mentalement estimé le coût d'un trajet en taxi, je m'engouffrai dans la première bouche de métro et me fis bringuebaler jusqu'à Brooklyn. Le quartier général de Moe, alias « le Grand Manitou de la Prière », se trouvait au-dessus de l'académie de billard de Rocky Fox, une salle tapissée de feutre vert, où une galerie d'individus peu recommandables étaient occupés à coincer la boule.

Loin de l'ambiance ecclésiastique à laquelle je m'attendais, les bureaux où je pénétrai bourdonnaient d'une agitation tumultueuse digne du

Washington Post. L'espace était divisé en box dans lesquels des rédacteurs surmenés tapaient bruyamment leurs prières pour répondre à une demande manifestement considérable.

« Entre, mon gars, me lança un type corpulent occupé à dévorer un assortiment de *ragelach*. Je suis Moe Bottomfeeder – le Grand Manitou de la Prière –, qu'est-ce que je peux faire pour toi ?

— J'ai vu la petite annonce que vous avez passée, dis-je d'une voix fluette. Dans le *Voice*. Juste en dessous de celle des étudiantes de Vassar spécialisées dans la friction corporelle.

— Oui, oui, dit Bottomfeeder en se léchant les doigts. Donc tu veux être rédacteur de psaumes.

— De psaumes ? m'étonnai-je. Comme *Le Seigneur est mon berger* ?

— Ne te moque pas, dit Bottomfeeder. Il cartonne, celui-là. Je te souhaite d'en écrire un comme ça, un de ces quatre. Tu as de l'expérience en la matière ?

— J'ai écrit un pilote pour la télé qui s'intitulait *Nonne gratta*. Une histoire de bonnes sœurs dans un couvent qui essayent de s'échapper en creusant sous terre.

— Les prières, c'est autre chose, intervint Bottomfeeder en me faisant taire d'un geste. Il faut faire preuve de déférence, donner de l'espoir mais – et c'est ce qui fait toute la différence entre une supplique joliment façonnée et le travail bâclé des cartes de chez Hallmark – les prières doivent être formulées de telle façon que si le vœu ne se réalise pas, le pigeon – euh, hum, je veux dire le fidèle – ne puisse pas nous coller un procès. Tu me suis ?

— Je crois, oui. Vous préféreriez éviter un litige coûteux », fis-je sur un ton badin.

Bottomfeeder m'adressa un clin d'œil. Ses sapes taillées sur mesure et sa Rolex me firent penser que j'étais en présence d'un esprit comparable à celui de Samuel Insull, le fondateur de la Continental Edison, ou de Willie Sutton, le regretté braqueur de banques.

« Crois-moi si tu veux, bonhomme, mais à mes débuts je n'étais qu'un prolo insignifiant, comme toi, dit-il, en se lançant dans le récit de ses années de formation sans que je lui aie rien demandé. J'ai commencé par vendre des cravates à la sauvette, comme Ralph Lauren. Et on a tous les deux fait un carton. Lui dans la mode, moi dans le plumage des ouailles. Regardons les choses en face, la plupart des gens ont des besoins spirituels qu'il faut bien satisfaire. Je veux dire, n'importe quel crétin fait ses prières. En me servant de ma bonne vieille toupie à prière, j'ai torché une paire d'invocations sur mon ordinateur portable et c'est là que ma bourgeoise de l'époque a eu l'idée lumineuse de les mettre aux enchères sur eBay. Bien vite la demande a été tellement importante que j'ai été obligé de recruter. On a des prières pour la santé, pour les problèmes amoureux, pour obtenir une augmentation au boulot, s'acheter la nouvelle Lamborghini, de la pluie pour les péquenauds – et bien sûr des prières pour les canassons, les paris sportifs. L'article qu'on vend le mieux, c'est : "Seigneur Dieu, notre Père, Que ta volonté soit faite sur terre/Ciel, qu'une fois, juste une, je gagne au loto/oh, et Seigneur, aussi au Super Loto." Comme je t'ai dit, il faut formuler le machin de manière à ne pas se faire allumer au cas où la requête céleste ne serait pas exaucée. »

À cet instant, la porte s'ouvrit et un visage tourmenté apparut.

« Hé, chef, glapit le rédacteur déconcerté, j'ai un gus de l'Ohio qui veut une prière pour que sa femme lui donne un fils. Je suis coincé, je sèche un peu, là.

— Ah, j'ai oublié de te dire, fit Bottomfeeder à mon intention. J'ai récemment lancé un nouveau service de customisation des prières. On façonne le texte pour qu'il colle aux besoins du cave et on lui envoie par mail une imploration personnalisée. »

Puis, se tournant alors vers son sous-fifre, il lui lança :

« Essaye donc : Que la gonzesse mette bas/En de verts pâturages/Qu'elle fasse un tabac :/L'offrande d'un page.

— Excellent, M.B. ! s'écria le rédacteur. Je me disais bien qu'il me manquait une phrase sacrée.

— Attendez, intervins-je soudain. Pourquoi pas plutôt : Ô Seigneur qu'elle mette bas/En de verts pâturages/Qu'elle vide son cabas/En souffrances et en nage.

— Hé hé ! s'exclama Bottomfeeder. Tu démarres au quart de tour, bonhomme. Ce môme, il a la patate. »

Je me délectais encore du compliment qui venait de m'être adressé lorsque le téléphone sonna. Bottomfeeder sauta dessus.

« Allô ? Sa Sainteté Moe Bottomfeeder, le Grand Manitou de la Prière, à l'appareil. Quoi ? Navré, ma petite dame. Il faut que vous vous adressiez à notre service des réclamations. Nous ne garantissons pas que le Seigneur va exaucer vos désirs. Il fera de son mieux, c'est tout ce qu'on peut vous promettre. Mais ne vous découragez pas, mon chou. Vous allez peut-être quand même le retrouver, votre matou. Non, nous ne remboursons pas. Relisez les tout petits caractères au bas de votre contrat de confirmation de prière. Il est bien précisé ce qui est de notre ressort et de Sa responsabilité. Mais ce que je vous propose, tout de même, c'est de vous envoyer une de nos bénédictions gratuites, et si vous allez Chez Homard, sur Queens Boulevard, dites-leur que c'est le Seigneur qui vous a envoyée et vous aurez un cocktail gratuit. »

Bottomfeeder raccrocha.

« J'aime autant te dire, ce n'est pas de tout repos. Ils me tombent tous sur le paletot. La semaine dernière on m'a collé un procès à cause d'une interversion dans le courrier. Une dame voulait un petit coup de pouce divin parce qu'elle allait se faire refaire le visage. Je me suis trompé, je lui ai envoyé une prière pour la paix au Moyen-Orient. Entre-temps Sharon se retire de Gaza et quand elle se réveille, après être passée sur le billard, elle ressemble comme deux gouttes d'eau à Abe Vigoda, le Sally du *Parrain II*. Alors qu'est-ce que tu en dis, fiston, tu te joins à nous ou pas ? »

L'honnêteté intellectuelle est un concept tout relatif, qu'il est préférable de laisser aux intellectuels, justement – les Jean-Paul Sartre et autres Hannah Arendt. La vérité, c'est que lorsque les vents d'hiver soufflent et que le seul logis que vous puissiez vous offrir est un bout de carton sur la Deuxième Avenue, les beaux principes et les nobles idéaux ont tendance à fondre comme neige au soleil de Brooklyn ; aussi remis-je à plus tard mes projets de décrocher le Nobel, et mis-je ma muse en loc' chez Moe Bottomfeeder. Pendant les six mois qui suivirent, je le confesse, bon nombre des demandes d'intervention divine que vous ou vos proches ont pu acquérir sur eBay furent rédigées par moi, Hamish, le rejeton de Maman Specter.

Il faut tout de même que je vous cite un ou deux de mes morceaux de bravoure. À commencer par : « Seigneur ô mon Dieu/Je n'ai que trente ans, rien à dire/Mais déjà la calvitie naissante./Daigne ressusciter ma chevelure absente/Et l'oindre d'encens et de myrrhe. » Autre classique de Lester : « Seigneur Dieu, roi d'Israël/Je tâche de perdre vingt livres./Pardonne mes excès à la pelle/En ton royaume je veux vivre./À la tentation des féculents point ne me soumets/Mais délivre-moi des graisses saturées. »

La plus grosse somme jamais acquittée pour une prière l'a peut-être été pour cette émouvante supplique : « Réjouis-toi Israël/La sainte Bourse remonte/Fais que dans Ta bonté éternelle/Nasdaq ne me colle la honte. »

Oui, la pépète a commencé à affluer sur mon compte, telle une manne tombée des cieux, jusqu'à ce qu'un beau jour deux messieurs basanés déboulent au bureau en l'absence de Bottomfeeder : le critique littéraire et le responsable poésie de l'hebdo professionnel de la Cosa Nostra. J'étais à mon bureau, en train de me demander s'il était bien conforme à l'éthique de rédiger une prière pour des nouveaux propriétaires qui réclamaient la castration de leur entrepreneur. Avant même de pouvoir demander aux deux gus si je pouvais leur être utile, je me surpris à émettre un son de piccolo, tandis que celui qui s'appelait Cheech me soulevait par la peau du cou, me passait par la fenêtre, me maintenant dans le vide à bout de bras. Les voitures paraissaient minuscules sur Atlantic Avenue.

« Il doit y avoir une erreur, couinai-je, tout en regardant la chaussée avec un intérêt non feint.

— Notre sœur a acheté une prière ici la semaine dernière, dit-il. Elle a dû payer une fortune sur eBay pour emporter l'enchère.

— Oui, oui, m'étranglai-je. M. Bottomfeeder sera de retour à dix-huit heures. C'est lui qui s'occu...

— Bon, on est venus te transmettre un message. La copropriété a intérêt à accepter que notre frangine emménage dans cet immeuble, expliqua Cheech.

— On a entendu dire que c'est toi qui avais écrit la prière, dit l'autre frangin, celui qui ressemblait davantage à un yeti. Alors tu vas nous le confirmer – et à haute voix. »

Je voulais pas les décevoir ni passer pour un mauvais joueur. Aussi roucoulai-je ledit texte à la manière de Joan Sutherland.

« Sois béni Seigneur dans ta miséricorde divine/ Promets-moi ce deux-pièces-cuisine.

— Notre sœur, elle a raqué douze cents biftons pour cette prière. Alors la prière, elle a intérêt à se réaliser, a fait Cheech en me ramenant à l'intérieur, avant de me suspendre au portemanteau, tel un canard dans une vitrine de Chinatown.

— Sinon, on envoie tes bras et tes guibolles par la poste. Et à quatre adresses différentes. »

Sur ces belles paroles, les deux laquais ont quitté les bureaux de Moe Bottomfeeder, le Grand Manitou de la Prière. Après m'être assuré qu'ils avaient bel et bien pris la tangente, je les ai imités.

J'ignore si Teresa Calebrezzi a finalement été acceptée dans l'immeuble où elle souhaitait emménager, mais il y a une chose dont je suis sûr : certes, les boulots de rédacteurs ne sont pas légion ici, en Terre de Feu, mais au moins j'ai toujours mes deux rotules. Amen.

LE FIGURANT RAVI

Le célèbre bandit Veerappan, cet homme longiligne à la fameuse et très noire moustache broussailleuse, a hanté les jungles du sud de l'Inde pendant toute une génération... M. Veerappan est accusé d'avoir commis 141 meurtres... Dimanche dernier, il a accompli ce que la police considère comme son forfait le plus hardi et le plus diabolique... Il a kidnappé Rajkumar, l'acteur vedette adoré de tous qui, ayant incarné à l'écran des dieux hindous, des rois d'antan et des héros en tout genre, bénéficie d'une véritable aura mystique.

New York Times, le 3 août 2000.

Ô Thepsis, ma muse, ma chance, mon malheur ! Comme toi, je suis béni des dieux : ils m'ont doté d'un talent dramatique immense et débordant.

Pourvu dès la naissance d'un visage héroïque et du profil aquilin d'un Barrymore, j'avais la souplesse extraordinaire d'un diable à ressort du kabuki. Pour autant, loin de me contenter des atouts que la providence m'avait accordés, je me suis immergé avec assiduité dans le théâtre classique, la danse, le mime. On a dit de moi que d'un seul froncement de sourcil je pouvais accomplir davantage que la plupart des acteurs avec la totalité de leur corps. Aujourd'hui encore, les élèves de l'atelier d'été du Neighborhood Playhouse se remémorent, émus, avec quel souci de la psychologie j'ai incarné Hjalmar Ekdal, le fils photographe du *Canard sauvage* d'Ibsen. Les inconvénients de la vie d'un homme de théâtre, c'est qu'en deçà d'un revenu minimal, le nombre de calories ingérées au quotidien est si bas qu'on risque de mourir de faim. Cela explique que j'occupe également le poste d'aide-serveur au Taco-Pox, un restaurant mexicain qui happe la clientèle de La Cienaga Boulevard avec la même efficacité carnivore qu'un attrape-mouches de Vénus.

Ce jour-là, Mel Marmoset avait laissé un message sur mon répondeur Phone-Mate. Oui, Marmoset, l'agent tout-puissant de l'omnipotente agence Career-Busters, le vivier de talents le plus en vue de Los Angeles, excusez du peu. J'ai compris que la chance me souriait. J'allais enfin récolter le fruit de mon labeur. Je fus conforté dans mon intuition quand

Marmoset m'annonça que je pouvais utiliser l'ascenseur particulier réservé aux stars du box-office. Je n'aurais donc pas à mettre en péril mes poumons en ayant à respirer le même air vicié qu'un vulgaire second rôle. Je pressentais que ma convocation était en rapport avec le best-seller intitulé *Le Mariage des Asticots*. Je savais que le rôle de Harry Magma était convoité par tous les petits rigolos du Syndicat des acteurs américains. Possédant ce mélange unique de noblesse de cœur et de sang-froid, j'allais être objectivement impeccable dans le rôle de l'intellectuel tragique.

« Je crois avoir quelque chose pour toi, fiston », m'annonça Marmoset.

Je me trouvais face à lui dans son bureau redécoré par deux nouveaux designers ultra-chics de Hollywood, une subtile combinaison de postmoderne et de Visigoth.

« Si c'est le rôle de Harry Magma, je tiens à ce que le réalisateur sache que j'utiliserai des prothèses. Je l'imagine bossu comme un vieil avare rabougri, désabusé par des années d'échecs, voire enduit de torchis.

— À vrai dire, pour ce qui est du rôle de Magma, ils sont en train d'en parler à Dustin. Non, là il s'agit d'un tout autre projet. Un thriller. L'histoire d'un ivrogne qui a pour mission d'aller récupérer une caillasse, genre pierre de lune, incrustée entre les deux yeux d'un bouddha ou de je ne sais quelle idole. J'ai lu le scénario en diagonale, mais j'ai eu le temps d'en saisir la substantifique moelle avant que Morphée, dans sa miséricorde, me tende les bras.

— Je vois. Ainsi je jouerai un soldat de fortune. Un rôle qui me fournira l'occasion de mettre en œuvre tout ce que j'ai pu apprendre lors de mes stages de gymnastique. Tous ces cours de sabre appliqué vont enfin m'être utiles.

— Je te préviens tout de suite, bonhomme, dit Marmoset, posté à sa fenêtre panoramique de deux mètres de haut, admirant le smog couleur mélasse que les citoyens de Los Angeles préfèrent à l'air véritable. Le rôle principal, c'est Harvey Afflatus.

— Ah, dans ce cas, ils me voient dans un rôle de composition – le meilleur ami du héros, un confident qui booste à lui tout seul la mécanique de l'intrigue.

— Euh, pas tout à fait. Afflatus, vois-tu, a besoin d'une doublure lumière.

— De quoi ?

— De quelqu'un qui tiendra la pose pendant les longues heures dont le caméraman a besoin pour préparer l'éclairage des scènes. Un gus qui ressemble vaguement à la vedette, de manière à placer correctement les spots. Et puis à la dernière seconde, juste avant que le tournage reprenne le cave – euh, enfin, je veux dire, la doublure – va faire un tour et la star se pointe et joue la scène.

— Mais pourquoi moi ? demandai-je. Ont-ils vraiment besoin d'un acteur de génie pour cela ?

— Tu es à peu près de la même corpulence qu'Afflatus – bien sûr, tu n'auras jamais sa classe, mais disons que vos morphologies sont comparables.

— Il va falloir que j'y réfléchisse, dis-je. Je suis pressenti pour faire la voix de Gaufrette dans *Oncle Vania* version marionnettes.

— Eh bien, réfléchis vite, fit Marmoset. L'avion part pour Thiruranathapuram dans deux heures. Vaut peut-être mieux ça que de gratter les morceaux d'*enchiladas* collés aux tables d'une cantine à *tamales*. Qui sait, tu seras peut-être découvert. »

L'avion fut d'abord immobilisé au sol et passé au peigne fin par l'équipage, car un cobra s'était échappé de sa cage. Dix heures plus tard, je m'envolai enfin pour l'Inde. Le producteur du film, Adrian Gornischt, m'avait expliqué qu'en raison d'une décision de dernière minute – l'actrice principale avait finalement voulu emmener son rottweiler – il n'y aurait pas de place pour moi dans le charter. On m'avait donc pris un billet « Intouchable » sur un vol Bandhabruti Air Lines, l'équivalent indien de nos magasins tout-pour-presque-rien. Heureusement, ils ont réussi à me dégotter une place sur un vol retour affrété pour un congrès de mendiants. Certes, je ne parlais pas un mot d'ourdou, mais je fus néanmoins fasciné par la sagesse dont ils firent preuve en comparant leurs afflictions et les mérites de leurs sébiles respectives.

Le voyage se déroula sans encombre, à l'exception de quelques « légères secousses », qui firent ricocher les passagers comme autant d'atomes affolés. Aux premières lueurs de l'aube, nous descendîmes de l'avion sur une piste de fortune, à Bhubaneshwar. De là, il y eut un court transfert en train à vapeur jusqu'à Ichalkaranji, puis nous ralliâmes Omkareshwar en pousse-pousse pour arriver enfin en palanquin sur le lieu du tournage. Toute l'équipe me réserva un accueil chaleureux. Il était inutile que je défasse tout de suite mes valises, appris-je, car je devais me rendre directement sur le plateau, de manière à ce que le chef op' puisse commencer à travailler. Pas question de prendre du retard sur le planning. En professionnel accompli, je me postai au sommet d'une colline dans la chaleur de midi. J'abattis un boulot considérable. Je ne m'arrêtai qu'à l'heure du thé, avec un début de coup de soleil carabiné.

La première semaine de tournage fut le théâtre d'inévitables tensions. Le réalisateur manquait cruellement de personnalité. Il acceptait béatement toutes les suggestions d'Afflatus ; pour lui, tout ce que baragouinait sa star méritait de figurer parmi les œuvres complètes d'Aristote. À mon avis, Afflatus était passé à côté de l'essence véritable du personnage principal. Et plutôt que de risquer de décevoir le public en montrant un colonel Matt Hiergraz en proie aux doutes inhérents à son métier, il a préféré modifier sa profession : de colonel dans l'armée, il était devenu « colonel du Kentucky » – comme le patron des poulets frits KFC – propriétaire et éleveur de pur-sang. Quant à savoir comment il se débrouillait pour remporter le concours hippique de Preakness dans la vallée du Cachemire, là j'avoue être resté perplexe. Je ne fus d'ailleurs pas le seul ; le scénariste se montra lui aussi décontenancé, d'autant que sa ceinture et sa cravate lui avaient été confisquées. Un bon acteur, c'est à quatre-vingt-dix pour cent une voix, or il faut bien reconnaître qu'Afflatus était affecté d'un drôle de timbre geignard qui faisait trembloter piteusement son septum comme un malheureux mirliton. À la faveur d'une pause, j'ai tâché de lui conseiller une méthode qui pourrait l'aider à donner un peu d'épaisseur à son personnage. Mais cela le déconcentrait du livre censé lui apprendre tout sur les Schtroumpfs avant la fin du tournage. Le soir, j'avais coutume de rester dans mon coin et me sustentais de poulet *tikka* et de thé *chai*. Au cours de ma troisième semaine toutefois, je ne me méfiai pas suffisamment de l'une des superbes jeunes beautés locales répondant au doux nom de Shakira : dans la grande tradition indienne, elle m'enveloppa dans ses deux bras, et, de ses quatre autres, me fit les poches.

C'est à peu près au milieu du tournage que les choses dégénérèrent. Nous avions finalement réglé les querelles intestines et trouvé le moyen de nous accommoder des incompatibilités de caractères. L'anticoagulant d'Adrian Gornischt, malicieusement dissimulé par le scénariste, avait été retrouvé. Le projet avait commencé à véritablement monter en puissance. La rumeur circulait que les rushs étaient bons. Babe Gornischt, la femme du producteur, affirmait que les images qu'elle avait vues n'avaient rien à envier à *Citizen Kane*. Pris d'une frénésie euphorique, Afflatus suggéra qu'il était peut-être temps de commencer à préparer une campagne de lobbying pour les Oscars. Il fit des pieds et des mains pour trouver des scribouillards qui lui rédigeraient son discours de remerciement.

Je me revois en train de garder la pose, comme à l'accoutumée ; le caméraman s'activait, j'avais la tête haute, la mâchoire en avant, à la manière d'Afflatus. Soudain une horde de va-nu-pieds fit irruption sur le plateau en poussant des cris d'Apaches. Ils assommèrent le metteur en scène à l'aide d'un cendrier chipé au Hilton de Bombay. Prise de panique, l'équipe se dispersa. Je n'eus pas le temps de dire ouf que je me retrouvai la tête au fond d'un sac promptement noué. Je fus hissé sur une épaule. On m'emmena. C'était toutefois compter sans ma formation poussée en arts martiaux. Soudain je sautai au sol et me déroulai tel un serpent, décochant un coup de pied éclair qui, heureusement pour mes ravisseurs, n'atteignit personne. En revanche, le mouvement m'entraîna directement dans le coffre ouvert d'une fourgonnette qui m'attendait, et dont les portes furent immédiatement refermées à clé. Entre la rudesse de la chaleur indienne et la force avec laquelle ma tête heurta la défense d'éléphant qui se trouvait dans la malle, je perdis connaissance. Je repris mes esprits un peu plus tard dans le noir, tandis que le véhicule bringuebalait sur un chemin cahoteux, sans doute une route de montagne. J'eus alors recours à des exercices respiratoires appris en cours de théâtre et réussis ainsi à rester calme six longues secondes consécutives. Après quoi je crachai un bêlement ourlé de sang et respirai en hyperventilation jusqu'à retomber dans les pommes. Je me rappelle vaguement qu'on m'a finalement ôté le sac que j'avais sur la tête. La grotte au milieu des montagnes appartenait au chef des bandits, dont la moustache broussailleuse très noire et l'intensité psychotique du regard me firent penser à Eduardo Cianelli dans *Gunga Din*, de 1939. Il brandissait un cimeterre, il était manifestement furieux contre son trio de sbires, qui ne savait plus où se mettre. Une histoire d'enlèvement qu'ils avaient foiré.

« Vermisseaux, asticots, cafards ! Je vous envoie capturer une sommité du cinéma et regardez ce que vous me ramenez ! » fulmina le grand chef sous l'emprise du haschich. Ses narines enflaient telles des voiles gonflées par le vent.

« Maître, je vous en supplie, bredouilla le *dalit* nommé Abou.

— Un remplaçant, un malheureux figurant – même pas – une doublure lumière ! aboya le caïd.

— Mais, vous êtes d'accord, il y a une certaine ressemblance, ô maître, couina un des hommes de main qui n'en menait vraiment pas large.

— Crabe ! Lézard ! Tu es en train de me dire que ce tas de fumier peut être pris pour Harvey Afflatus ? C'est confondre une poignée de sable et un sac de pièces d'or.

— Mais, ô grand chef, ils l'ont embauché justement parce que...

— Silence, ou je t'arrache la langue. Je m'apprêtais à empocher entre cinquante et cent plaques et toi tu me livres un zigoto de troisième zone qui, je te le garantis, aussi vrai que je m'appelle Veerappan, ne va pas nous rapporter une roupie. »

C'était donc lui, le brigand légendaire dont j'avais entendu parler. Sa cruauté était sans égale, il massacrait quiconque se mettait en travers de son chemin. En revanche, sa science avait manifestement ses limites : il était incapable de reconnaître un acteur de grand talent.

« Je suis certain que nous pourrons en tirer quelque chose. L'équipe de tournage ne quittera pas les lieux si nous menaçons de dépecer un des siens. C'est sûr, nous connaissons tous la légende de ces grands studios qui ne vous rappellent pas, mais si nous leur envoyons ses organes l'un après l'autre...

— Ça suffit, espèce de méduse visqueuse, le coupa le diabolique *dacoït* en chef. Afflatus commence à vraiment avoir la cote. Il vient d'enchaîner deux films qui ont fait un tabac, y compris dans les pays de moindre importance. Avec la pauvre andouille que vous m'avez ramenée, on pourra s'estimer heureux si on récupère son pesant de pois chiches.

— Je suis navré, votre excellence, bredouilla le lieutenant de Veerappan en pleurant. C'est juste qu'à la lumière des projecteurs, de profil, il avait en gros la même forme de visage que la star qu'on devait enlever.

— Tu ne vois donc pas qu'il est totalement dépourvu du moindre charisme ? Ce n'est pas un hasard si Afflatus cartonne à Boise, au fin fond de l'Idaho, et à Yuma, en Arizona. C'est ce qu'on appelle avoir la classe. Alors que ce cabotin est du genre à conduire un taxi ou à répondre au standard téléphonique toute sa vie en attendant la grande occasion qui ne se présentera jamais.

— Non mais attendez deux minutes, là », aboyai-je en dépit des vingt centimètres de ruban adhésif que j'avais sur la bouche.

Mais avant de pouvoir véritablement développer, je reçus un coup de *huqqa* sur la carafe. Je n'avais rien contre les pipes à eau de l'Inde mogole, mais je fus contraint de me taire à nouveau pendant que Veerappan se remettait à pérorer. Tous les incompétents allaient être décapités, annonça-t-il avec bienveillance. En ce qui me concernait, le trésorier du groupe suggéra de revoir à la baisse la rançon demandée et d'attendre quelques jours pour voir si mes amis réagissaient. Si personne ne levait le petit doigt, ils me réduiraient en chair à saucisse. Connaissant Adrian Gornischt, j'étais tout à fait confiant. La société de production avait déjà certainement contacté l'ambassade américaine et accéderait bien évidemment à toutes les exigences du voyou, aussi extravagantes fussent-elles, plutôt que de voir un de ses collègues maltraité de quelque façon que ce soit. Au bout de cinq jours, il n'y avait toujours pas de réponse. Les espions de Veerappan lui rapportèrent que le scénariste avait modifié le script : l'équipe avait mis les bouts et le tournage se poursuivait à Auckland. Je commençai à ressentir un certain malaise. Des rumeurs circulèrent selon lesquelles

Gornischt n'avait pas voulu importuner le gouvernement indien en portant plainte. Cependant il s'était promis, en quittant la région, de faire tout ce qui était en son pouvoir pour me libérer sans avoir à débourser un dollar de rançon, afin d'éviter un précédent regrettable. Lorsque la nouvelle de mon malheur parut dans un entrefilet des dernières pages du magazine *Backstage*, un groupe de figurants actifs au plan politique qualifia cette situation de honteuse et jura d'organiser une veillée nocturne. Ils ne purent cependant réunir un capital suffisant pour acheter les bougies.

Alors comment se fait-il que je sois encore de ce monde pour raconter cette histoire, alors que Veerappan était prêt à se débarrasser de ma carcasse ? Il ne me restait pas plus de trois heures à vivre, les fanatiques en transe affûtaient déjà leurs poignards et s'apprêtaient à me découper en tranches, lorsque soudain je fus tiré de mon sommeil par une paire d'yeux noirs à peine visibles entre un turban et un burnous.

« Dépêche-toi, fiston, surtout ne crie pas, chuchota l'intrus, dont l'accent rappelait davantage Brooklyn que Bhopal.

— Qui êtes-vous ? demandai-je, les sens engourdis par un trop long régime d'*alou* et de *dal tarka*.

— Vite, enlève ces nippes et suis-moi. Et surtout du calme – l'endroit est infesté de vermines.

— Mel ! m'exclamai-je en reconnaissant la voix de Marmoset, mon agent.

— Magne-toi. On aura tout le temps de se faire des politesses demain chez Nate'n Al. »

La perspective de me retrouver au Delicatessen Restaurant de Beverly Hills me redonna courage et c'est ainsi que, emboîtant le pas à l'homme d'affaires qui s'occupait des miennes, j'échappai de justesse à la dissection.

Chez Nate'n Al, le lendemain, Marmoset m'expliqua devant un assortiment de *kasha varnishke* qu'il avait eu vent de mes déboires à l'occasion d'une cérémonie du *seder* dans un autre restaurant de Beverly Hills, chez M. Chow.

« Toute cette histoire m'est vraiment restée en travers de la gorge. Et puis, d'un coup, je me suis rappelé que quand j'étais petit, j'avais l'habitude de me coller des moustaches en carton à deux sous. À l'école tous les copains trouvaient que je ressemblais comme deux gouttes d'eau à Son Immense Sainteté le Nizam d'Hyderâbâd. Une fois que j'ai eu cette étincelle, le reste s'est passé comme sur des roulettes. Je veux dire, bon, d'accord, il a fallu baratiner parce que le Nizam n'existe plus depuis 1948. Mais après tout, je suis agent. Le pipeau, c'est mon boulot, pas vrai ?

— Mais pourquoi risquer votre vie pour moi ? fis-je, flairant l'entourloupe.

— C'est que pendant ton absence, vois-tu, je t'ai décroché le rôle principal dans un film. Du solide. Un long-métrage sur le trafic de drogue. Tout sera tourné dans la jungle de Colombie. Un brûlot contre le cartel de Medellin. C'est pour ça, j'imagine, que des escadrons de la mort ont juré d'immoler quelques membres de l'équipe si jamais un film devait être tourné dans la région. Mais le réalisateur a décidé de ne pas se laisser intimider. Je n'arrive pas à croire que tant d'acteurs aient refusé cette opportunité. Mais du coup ça m'a permis de faire monter ton tarif. Hé, où tu vas ? »

Je me suis enfoncé dans le smog, j'ai disparu comme un chat de gouttière et couru jusqu'au premier kiosque à journaux pour consulter sans tarder les petites annonces, dans l'espoir d'y trouver un poste de chauffeur de taxi ou de standardiste, comme Veerappan l'avait suggéré. Bien entendu, les dix pour cent de Marmoset représenteraient des sommes sacrément moins importantes, mais au moins, il ne serait jamais réveillé par un livreur de Fed Ex lui apportant mon oreille.

Sans foi ni matelas

Le Ruisseau de Wilton se situe au cœur des Grandes Plaines, au nord du Bosquet du Berger, sur la gauche de la Pointe de Dobb, juste au-dessus des falaises qui forment la Constante de Planck. La terre est arable et se trouve principalement au sol. Une fois l'an, les vents tourbillonnants en provenance des plateaux de l'Alta Kicka déferlent à travers champs, soulèvent les paysans occupés à leurs besognes, et les déposent des centaines de kilomètres plus au sud, où ils se réinstallent souvent et ouvrent des boutiques. Par une grise matinée de juin, un mardi, Comfort Tobias, la gouvernante des Washburn, entra chez ses employeurs comme chaque jour depuis dix-sept ans. Le fait d'avoir été licenciée neuf ans plus tôt ne l'empêchait pas de venir faire le ménage, et les Washburn ne l'appréciaient que davantage depuis qu'ils avaient cessé de lui verser son salaire. Avant de travailler pour les Washburn, Tobias murmurait à l'oreille des chevaux dans un ranch du Texas, mais elle était entrée en dépression nerveuse le jour où un cheval lui avait répondu, en chuchotant lui aussi.

« Ce qui m'a le plus sidérée, se souvient-elle, c'est qu'il connaissait mon numéro de Sécurité sociale. »

Lorsque Comfort Tobias pénétra dans la maison des Washburn ce mardi, tous les membres de la famille étaient partis en vacances. (Ils s'étaient embarqués clandestinement sur un bateau de croisière à destination des îles grecques. S'ils avaient dû se cacher dans des tonneaux et se priver d'eau et de nourriture pendant trois semaines, les Washburn avaient néanmoins réussi à se retrouver chaque soir sur le pont, à trois heures du matin, pour jouer au palet.) Tobias monta à l'étage pour changer une ampoule.

« Mme Washburn appréciait qu'on change ses ampoules deux fois par semaine, le mardi et le vendredi, même si elles étaient encore en bon état, expliqua-t-elle. Elle adorait avoir des ampoules toutes neuves. Les draps, en revanche, c'était une fois par an. »

À la seconde où la gouvernante entra dans la chambre principale, elle sut qu'il manquait quelque chose. Soudain, elle comprit – elle n'en crut pas ses yeux ! Quelqu'un s'en était pris au matelas et avait découpé l'étiquette portant la mention : « La loi

interdit formellement aux personnes n'étant pas propriétaires de l'article d'en retirer l'étiquette. » Un
frisson parcourut Tobias. Ses jambes se dérobèrent
sous elle, elle eut envie de vomir. Une petite voix lui
commanda d'aller voir dans les chambres des
enfants. Comme elle l'avait craint, là aussi les étiquettes avaient été arrachées des matelas. Son sang
se figea dans ses veines : une immense ombre mena-
çante se découpait dans le couloir. Son cœur se mit
à battre la chamade. Elle voulut hurler. Puis elle
comprit que cette ombre était la sienne. Elle décida
de se mettre au régime et appela les autorités.

« Je n'avais jamais rien vu de tel, déclara Homer
Pugh, le chef de la police. D'habitude, ces choses-là
n'arrivent jamais au Ruisseau de Wilton. Il y a bien
eu la fois où quelqu'un est entré par effraction dans
la boulangerie du coin et a aspiré toute la confiture
des beignets. Mais au troisième coup, on a placé des
tireurs d'élite sur le toit, et surpris le coupable en
flagrant délit ; il a été abattu sur-le-champ.

— Pourquoi ? Pourquoi ? demanda en sanglotant
Bonnie Beale, une voisine des Washburn. C'est tellement insensé, tellement cruel. Dans quel monde
vivons-nous, si quelqu'un d'autre que l'acheteur du
matelas peut découper les étiquettes ?

— Jusqu'alors, déclara Maude Figgins, l'institu-
trice, quand je sortais, je laissais toujours mes matelas à la maison. Maintenant, à chaque fois que je

m'en vais de chez moi, que ce soit pour faire des courses ou pour dîner avec des amis, je suis obligée d'emporter tous mes matelas. »

À minuit ce soir-là, sur la route d'Amarillo, Texas, deux personnes roulaient à grande vitesse à bord d'une Ford rouge. De loin, les plaques d'immatriculation paraissaient authentiques, mais à y regarder de plus près on voyait bien qu'elles étaient en pâte d'amandes. Le chauffeur avait sur l'avant-bras droit un tatouage « PAIX, AMOUR, DÉCENCE ». Lorsqu'il remontait sa manche gauche, un autre tatouage apparaissait : « Erreur d'impression – Ne pas tenir compte de l'avant-bras droit ».

À côté de lui se trouvait une jeune femme blonde qu'on aurait pu considérer comme jolie si elle n'avait ressemblé comme deux gouttes d'eau à un parrain de la mafia. Le conducteur, Beau Stubbs, s'était récemment échappé de la prison de San Quentin, où il avait été incarcéré pour abandon de détritus dans un lieu public. Stubbs avait plongé pour une affaire d'emballage de Snickers tombé sur le trottoir. Le juge, déplorant que le coupable ne manifestât pas le moindre regret, l'avait condamné deux fois à la prison à perpétuité.

La femme, Doxy Nash, avait été mariée à un entrepreneur des pompes funèbres. Stubbs était entré un jour dans le salon funéraire, juste pour regarder, sans avoir l'intention d'acheter. Il tomba immédiatement fou amoureux d'elle, et tenta d'engager la conversation pour la séduire, mais elle était alors occupée, en pleine séance d'incinération. Stubbs et Doxy Nash ne tardèrent pas à vivre une histoire d'amour secrète, mais bien vite Doxy le découvrit. Son entrepreneur de mari, Wilbur, appréciait Stubbs, à tel point qu'il proposa de l'enterrer gratuitement, s'il était d'accord pour que cela se fasse le jour même. Stubbs le mit K.-O. et s'enfuit avec sa femme, non sans l'avoir préalablement remplacée par une poupée gonflable. Un soir, après trois années parmi les plus heureuses de sa vie, Wilbur Nash eut soudain des doutes : en effet, alors qu'il demandait à sa femme de lui resservir un peu de poulet, elle émit subitement un bruit sec et s'envola dans la pièce en dessinant des cercles de plus en plus petits, jusqu'à venir se reposer sur la moquette.

Avec son mètre soixante-douze, Homer Pugh était assez grand, pour sa taille. Aussi loin qu'il se souvienne, Pugh a toujours été policier. Son père était un célèbre braqueur de banque et le seul moyen de passer un peu de temps avec lui, c'était de l'appréhender. Pugh a arrêté son père à neuf reprises ; leurs conversations lui ont laissé un souvenir impérissable, même si la plupart ont eu lieu alors qu'ils se tiraient dessus.

J'ai demandé à Pugh ce qu'il pensait de la situation.

« Ma théorie ? a dit Pugh. Deux êtres à la dérive, partis en goguette pour voir le monde... *Two drifters off to see the world...* »

Dans la foulée, il s'est mis à chanter la suite des paroles de *Moon River*, tandis que sa femme Ann servait à boire et qu'on m'apportait une addition de cinquante-six dollars. À ce moment-là, le téléphone a sonné. Pugh a bondi dessus. La voix à l'autre bout du fil a retenti dans toute la pièce.

« Homer ?

— Willard », a dit Pugh.

C'était Willard Boggs – l'agent Boggs de la Police d'État d'Amarillo. La Police d'État d'Amarillo est un groupe d'élite. Ses membres ne doivent pas seulement être physiquement imbattables mais également réussir un examen écrit particulièrement ardu. Boggs avait échoué à deux reprises à l'épreuve écrite, la première fois parce qu'il avait été incapable d'expliquer la pensée de Wittgenstein au planton, la deuxième pour avoir fait un contresens dans la traduction d'Ovide. Sa motivation avait cependant été récompensée par des cours particuliers, et sa thèse finale sur Jane Austen demeure un classique chez les motards qui sillonnent les routes d'Amarillo.

« On a repéré un couple, a-t-il dit à l'agent Pugh. Comportement très suspect.

— Quel genre ? » a demandé Pugh en allumant une autre cigarette.

Parfaitement informé des problèmes de santé liés au tabac, Pugh consomme uniquement des cigarettes en chocolat. Lorsqu'il en allume le bout, le chocolat fond, dégouline sur son pantalon, et il se retrouve avec des notes de teinturier démesurées par rapport à sa modeste solde de policier.

« Le couple est entré dans un restaurant chic du coin, a poursuivi Boggs. Ils ont commandé un copieux dîner au barbecue, du vin, tout le bataclan. Quand la douloureuse est arrivée, ils ont essayé de payer en étiquettes à matelas.

— Coffre-les, a lancé Pugh. Mais garde ça pour toi, personne ne doit connaître le chef d'accusation. Dis seulement que leur description correspond à celle d'un couple qu'on veut interroger pour une affaire d'attouchements sur une poule. »

La loi de l'État en cas d'arrachage de l'étiquette d'un matelas ne vous appartenant pas remonte au début des années 1900, à l'époque où Asa Chones s'est querellé avec son voisin à propos d'un cochon qui avait pénétré dans son jardin. Les deux hommes se sont battus pendant des heures pour savoir à qui appartenait désormais le porc, jusqu'à ce que Chones se rende compte qu'il ne s'agissait pas du tout d'un cochon mais de son épouse. La question a été tranchée par les anciens du bourg, qui ont décidé que les traits de la femme de Chones étaient suffisamment porcins pour justifier le quiproquo. Submergé par la colère, Chones est entré chez son voisin ce soir-là et a arraché toutes les étiquettes des matelas. Il a été appréhendé et jugé. Les jurés ont fait valoir qu'un matelas dépouillé de ses étiquettes était « une insulte à l'intégrité du rembourrage ».

Au départ, Nash et Stubbs ont clamé leur innocence, tâchant de se faire passer pour une marionnette et son ventriloque. Mais sur le coup de deux heures du matin, les deux suspects ont commencé à craquer sous la pression, l'interrogatoire étant en effet mené par Pugh en français, langue que les deux suspects ignoraient, et dans laquelle par conséquent ils ne risquaient pas de mentir. Stubbs a fini par avouer.

« On s'est garés devant chez les Washburn au clair de lune, a-t-il reconnu. On savait que la porte d'entrée restait toujours ouverte, mais on est quand même entrés par effraction, histoire de pas perdre la main. Doxy a retourné toutes les photos de famille face contre le mur, pour pas qu'il y ait de témoin. C'est en prison que j'avais entendu parler des Washburn, par Wade Mullaway, un tueur en série qui dépeçait ses victimes et les mangeait. Il avait été employé comme cuisinier chez les Washburn, mais s'était fait renvoyer le jour où ils avaient retrouvé un nez dans le soufflé. Je savais que c'était non seulement interdit par la loi mais considéré comme un crime contre Dieu d'ôter les étiquettes des matelas alors que je les avais pas achetés, mais il y avait toujours cette petite voix qui m'obligeait à le faire, celle du présentateur télé Walter Cronkite, je crois bien. J'ai découpé les étiquettes des Washburn, Doxy s'est chargée des matelas des enfants. Je transpirais – la pièce tremblait autour de moi –, toute mon enfance a défilé sous mes yeux, puis l'enfance d'un autre gamin, et pour finir l'enfance du Nizam d'Hyderabad. »

Au procès, Stubbs a choisi d'assumer lui-même sa propre défense, refusant la présence d'un avocat. Toutefois, il n'a pas réussi à se mettre d'accord sur les honoraires, ce qui a créé certaines tensions. J'ai rendu visite à Beau Stubbs dans le « couloir de la mort ». Cela fait maintenant une décennie que plusieurs recours lui ont évité la potence. Il a mis à profit cette période pour apprendre un métier : il est devenu pilote de ligne. J'étais présent quand la sentence finale a été prononcée. Une somme d'argent importante a été versée à Stubbs par Nike pour les droits télévisés, autorisant la compagnie à placer son logo sur le devant de la cagoule noire. Quant à savoir si la peine de mort a un pouvoir effectivement dissuasif, cela demeure discutable, en dépit des études tendant à prouver que les criminels commettent statistiquement moitié moins d'infractions après leur exécution.

L'ERREUR EST HUMAINE,
LA LÉVITATION DIVINE

Je suffoquais, ma vie défilait sous mes yeux en une série de vignettes nostalgiques. C'était il y a quelques mois. Ce jour-là, comme chaque matin après le *kipper*, je croulais sous une avalanche de prospectus publicitaires qui se déversaient par la fente de la boîte aux lettres, à travers ma porte : invitations à des expositions, à des œuvres dites de bienfaisance, sans parler de tous les gros lots que j'avais gagnés à des concours de « pyrates ». Ayant entendu une voix de fausset étouffée sous les imprimés, Grendel, notre femme de ménage wagnérienne, m'extirpa à l'aide de l'aspi-bébêtes. Comme je classais mon courrier, minutieusement, et par ordre alphabétique, dans la déchiqueteuse à papiers, je remarquai parmi la pléthore de catalogues vantant tout et n'importe quoi – des mangeoires à oiseaux aux livraisons mensuelles de drupes et agrumes divers – une petite brochure que je n'avais

pas commandée, mais au titre néanmoins évocateur :
Magic Mélange. Visant manifestement le public *new
age*, les services qu'on y trouvait allaient du pouvoir
des cristaux à la guérison holistique, en passant par
les vibrations télépathiques. On y proposait des
astuces pour développer son énergie spirituelle,
l'amour plutôt que le stress, et savoir exactement à
quelle porte frapper et quel formulaire remplir pour se
réincarner. Les publicités, scrupuleusement rédigées
de manière à se protéger de la curiosité intempestive
de la Brigade de la répression des fraudes,
proposaient des « ioniseurs thérapeutiques », des
« aqua-énergiseurs pour le vortex », et un produit
baptisé « Phytogrobuste », conçu pour augmenter
le volume des *Cavaillons* de madame. Les conseils
parapsychologiques ne manquaient pas : une « ultra-
lucide spirituelle » vérifiait toutes ses intuitions
auprès d'un « consortium d'anges » baptisé
« Consortium Sept » ; une certaine Saleena – un
nom d'effeuilleuse, assurément – proposait de
« rééquilibrer votre énergie, d'éveiller votre ADN et
de faire venir à vous l'abondance ». Naturellement,
pour tous ces voyages éducatifs au centre de l'âme, de
modestes émoluments étaient requis, afin de couvrir
les frais du gourou – timbre postaux et autres
dépenses qu'il ou elle n'aurait pas manqué
d'accumuler dans une vie antérieure. Le personnage
le plus saisissant de tous était sans doute la

truculente « fondatrice et présidente du Cercle de la Divine Ascension sur la Planète Terre ». Connue de ses disciples sous le nom de Gabrielle Hathor, la déesse autoproclamée était, à en croire le rédacteur, « la plénitude incarnée ». Cette figure emblématique de la Côte Ouest annonçait... « une accélération de la rétroaction karmique... » La Terre était entrée « dans un hiver spirituel », qui durerait « 426 000 années ». Soucieuse de parer aux rudesses de cet hiver sans fin, Mme Hathor avait initié un mouvement visant à enseigner aux êtres l'art de l'ascension, afin d'atteindre des « dimensions de fréquences supérieures », où il serait sans doute possible de sortir davantage et de jouer un peu au golf.

« Lévitation, déplacement dans l'espace, omniscience, matérialisation et dématérialisation des personnes, sont désormais à la portée de tous », proclamait le baratin racoleur destiné au gogo. « Du haut de ces fréquences supérieures, l'être élevé peut percevoir les fréquences du dessous, alors qu'inversement les êtres en fréquence basse ne peuvent percevoir les dimensions plus élevées. »

Une certaine Pleiades Moonstar – un nom qui me plongerait dans une consternation sans bornes si j'apprenais à la dernière minute que c'était celui du pilote de mon avion ou de mon neurochirurgien – apportait sa garantie morale à l'entreprise. Les adeptes du mouvement de Mme (ou Mlle) Hathor devaient se soumettre à une « procédure d'humiliation » visant à purifier chacun de ses tendances égoïstes pour booster ses fréquences. Les paiements sonnants et trébuchants n'étaient pas vus d'un bon œil ; en revanche, moyennant un peu de servilité crasse et de labeur productif, il y avait moyen d'obtenir le gîte et le couvert (haricots mungo), tout en montant – ou en descendant – sur l'échelle de la conscience.

Si je raconte tout cela, c'est que le même jour, alors que je sortais du magasin Hammacher Schlemmer, en proie à une indécision obsessionnelle – devais-je acheter une presse à canard informatisée ou le massicot portable le plus perfectionné du monde ? – je heurtai, tel le *Titanic*, Max Flummery, un vieil iceberg dont j'avais fait la connaissance à la fac : la cinquantaine grassouillette, des yeux de morue et un postiche aux mèches suffisamment entassées pour créer un effet banane en trompe-l'œil, il me serra la main en me secouant *comme un prunier* et se lança dans le récit de sa récente bonne fortune.

« Qu'est-ce que tu veux que je te dise, bonhomme, j'ai touché le gros lot. Je suis entré en contact avec mon moi spirituel intérieur, et à partir de là, ça a été bingo.

— Tu peux détailler un peu ? fis-je, remarquant le costume taillé sur mesure et, à son petit doigt, une bague grosse comme une tumeur déjà bien avancée.

— Je suppose que je ne devrais pas tailler une bavette avec quelqu'un d'une fréquence inférieure, mais depuis le temps qu'on se connaît, hein...

— Fréquence ?

— Attention, je parle de dimensions, là. À ceux d'entre nous qui se situent dans la frange supérieure, on apprend à ne pas gaspiller nos hyper-ions avec de simples mortels arriérés, groupe dont tu fais partie, sans vouloir t'offenser. Ce qui ne veut pas dire que nous n'étudions pas et n'apprécions pas les formes inférieures – merci à Leewenhoek et à ses microscopes, si tu vois ce que je veux dire. »

Soudain, avec l'instinct du faucon repérant sa proie, Flummery tourna la tête et aperçut une blonde aux longues jambes, en jupe mini mini, qui cherchait un taxi.

« Vise un peu la donzelle ! Ce petit minois ! s'exclama-t-il, tandis que ses glandes salivaires enclenchaient la troisième.

— Une vraie pin-up de magazine, reconnus-je, sentant les premiers symptômes du gros coup de chaud. Enfin, si j'en juge par son chemisier transparent.

— Regarde bien », dit Flummery.

Sur ce, il prit une profonde inspiration et commença à s'élever au-dessus du sol. Au plus grand étonnement de la Miss Juillet et de moi-même, il était en pleine lévitation à trente centimètres au-dessus de la chaussée, juste devant Hammacher Schlemmer. Cherchant les fils accrochés au plafond, la môme s'approcha.

« Hé, comment faites-vous ça ? roucoula-t-elle.

— Tiens. Voici mon adresse, lui susurra-t-il. Je serai à la maison ce soir après vingt heures. Passe donc. Avec moi, tu auras toi aussi les pieds en l'air en un clin d'œil.

— J'apporterai du petrus », gazouilla-t-elle, fourrant dans l'abîme de son décolleté les détails logistiques de son rendez-vous galant, avant de s'éloigner en tortillant des hanches, tandis que Flummery redescendait sur le plancher des vaches.

« Qu'est-ce qui t'arrive ? demandai-je. Tu t'es réincarné en Houdini ?

— Bon, soupira-t-il avec condescendance. Puisque je daigne m'entretenir avec une paramécie, autant te déballer la totale. Allons au Stage Delicatessen Restaurant décimer quelques *schnecken* et je te raconterai. »

J'entendis alors comme un bruit sec de bouchon de champagne, et Flummery se volatilisa. Je retins ma respiration et mis la main sur ma bouche ouverte, à la manière effarouchée des sœurs Gish. Quelques secondes plus tard, il réapparaissait, penaud.

« Navré. J'avais oublié que vous autres larves rampantes n'entendiez que couic à la dématérialisation et au déplacement dans l'espace. Au temps pour moi. Allons-y à pinces. »

J'étais justement encore en train de me pincer quand Flummery commença son histoire.

« Bien, dit-il, retour en arrière. C'était il y a six mois. À l'époque, le petit Max à sa maman Flummery était au trente-sixième dessous. Une série de pépins, mon vieux, et si tu ajoutes la déchirure que je me suis faite à l'épaule, la misère de Job, à côté, c'est de la gnognote. D'abord, la petite bridée de Taïwan à qui je donnais des cours particuliers d'horizontalité débridée me zappe pour le zozo qui double Brad Pitt dans ses cascades ; ensuite, je me retrouve sur la paille à la suite d'un procès, tout ça parce que je suis entré en marche arrière avec ma Jaguar dans une salle de lecture de l'Église scientiste. Pour finir, mon fiston, né d'un précédent holocauste conjugal, qui gagnait bien sa vie en fabriquant des tartes, a plaqué son boulot pour rejoindre les Talibans. Et me voilà avec le moral dans les chaussettes, à errer dans New York en quête d'une raison d'être, d'un point d'équilibre spirituel pour ainsi dire, lorsque brusquement, comme par miracle, je tombe sur une pub dans *Vibrations Illustrated*. Un établissement genre station thermale qui aspire ton mauvais karma comme par liposuccion, et te fait accéder à une fréquence supérieure, d'où tu peux enfin dominer la nature façon Faust. Je m'étais fixé pour règle de ne jamais tomber dans les attrape-nigauds de ce genre, mais lorsque j'ai pigé que le directeur général était une véritable déesse ayant pris forme humaine, je me suis dit, après tout, qu'est-ce que je risque ? D'autant que c'est gratuit. Ils n'acceptent pas de pognon. Le système s'appuie sur une variante de l'esclavage, mais en contrepartie, tu as droit à des cristaux qui te rendent plus fort et à tous les millepertuis que tu peux cueillir. Ah, et aussi, j'ai failli oublier : elle t'humilie. Mais ça fait partie de la thérapie – ses sbires ont, par exemple, fait mon lit en portefeuille et ont attaché, sans que je m'en rende compte, une queue d'âne à mon fond de pantalon. Certes, j'ai été le souffre-douleur pendant un certain temps, mais je vais te dire, mes chevilles ont sacrément désenflé. Soudain je me suis rendu compte que j'avais vécu des vies antérieures, d'abord comme simple bourgmestre, puis dans la peau de Cranach le Vieux – ou non, je ne sais plus, c'était peut-être le Jeune. Enfin bref, je me suis réveillé sur ma paillasse rudimentaire avec ma fréquence propulsée dans la stratosphère. J'avais un nimbus autour de l'occiput et j'étais omniscient. Figure-toi que dans la foulée j'ai gagné le tiercé dans l'ordre à Belmont. Pendant une semaine, j'ai attiré les foules à chaque fois que je me suis pointé au Bellagio de Vegas. Et si par hasard j'ai un doute sur un canasson, ou si j'hésite à redemander une carte au black jack, il y a un consortium d'anges que je peux consulter à loisir. C'est vrai, après tout, ce n'est pas parce qu'on a des ailes et qu'on est taillé dans l'ectoplasme qu'on ne peut pas empocher du flouze aux courses, hein. Tiens, zyeute un peu le paquet de biftons. »

Flummery sortit de chaque poche plusieurs liasses de billets de mille dollars, épaisses comme des balles de coton.

« Oups, excuse-moi, dit-il en récupérant quelques rubis tombés de sa veste lorsqu'il en avait sorti ses billets verts.

— Et elle ne réclame aucune rémunération en contrepartie ? demandai-je, tandis que déjà mon cœur s'emplissait de joie, telle une baudruche gavée à l'hélium.

— Ma foi, c'est comme ça avec les avatars. Ils ont le cœur sur la main. »

Le soir même, en dépit des imprécations de ma douce et tendre, ponctuées d'un bref coup de fil passé par ses soins au cabinet Shmeikel et Fils pour vérifier que notre contrat de mariage couvrait les cas de démence précoce, je m'envolai vers l'ouest, cap sur le Cercle de la Divine Ascension, où résidait la déesse Galaxie Sunstroke, une splendeur qui se présenta en sous-vêtements Fredericks of Hollywood. Elle m'invita à entrer dans le sanctuaire qui dominait son fief – une ferme à l'abandon qui rappelait curieusement le fameux Spahn Ranch où Charles Manson avait naguère élu domicile – posa sa lime à ongles et s'installa confortablement sur le divan.

« Mets-toi à ton aise, me dit-elle sur un ton plus proche de l'actrice Iris Adrian que de la danseuse Martha Graham. Alors comme ça, tu veux entrer en contact avec ton centre spirituel ?

— Oui. J'aimerais grimper dans les fréquences, pouvoir léviter, me téléporter, me dématérialiser et être assez omniscient pour deviner à l'avance les numéros qui vont sortir à la Loterie de New York.

— Que fais-tu dans la vie ? demanda-t-elle, étonnamment peu omnisciente pour une majesté d'un si haut rang.

— Gardien de nuit dans un musée de cire, répondis-je, mais ce n'est pas aussi épanouissant qu'on pourrait croire. »

Se tournant vers un des Nubiens qui l'éventait avec des feuilles de palmier, elle demanda :

« Qu'en pensez-vous, les gars ? Il ferait un bon gardien, non ? Il pourrait peut-être s'occuper de la fosse sceptique.

— Merci, dis-je en m'agenouillant, posant le visage à terre en signe de mortification.

— Bien, dit-elle en tapant dans ses mains, tandis que cinq de ses loyaux sbires surgissaient de derrière des rideaux de perles.

— Donnez-lui un bol de riz et rasez-lui la tête. En attendant qu'un lit se libère, il peut dormir avec les poulets.

— Vos désirs sont des ordres », murmurai-je, détournant le regard de Mme (ou Mlle) Sunstroke, de peur de la distraire des mots croisés qu'elle venait de commencer. Je fus reconduit au dehors, craignant confusément qu'on me marque au fer rouge.

D'après ce que je pus voir au fil des jours qui suivirent, la propriété grouillait de paumés de tout poil : une ribambelle de poltrons, des casse-pieds de première, des actrices qui ne levaient pas le petit doigt sans consulter les astres, sans parler des obèses, d'un type qui avait été impliqué dans une affaire d'empaillage ayant fait scandale et d'un nain qui refusait d'admettre qu'il n'était pas à la hauteur. Tous cherchaient à atteindre un niveau supérieur, tout en trimant non-stop, dans une soumission lobo-tomisée à la déesse suprême. Celle-ci se montrait à l'occasion, sur ses terres. Elle dansait comme Isadora Duncan ou fumait une longue pipe, avant de hennir de rire, tel Seabiscuit le Pur-Sang. En échange de quelques pauses et permissions concédées par le cha-man en chef du camp – un ex videur que j'avais déjà vu, me semblait-il, dans un documentaire sur la « loi Megan » sur la délinquance sexuelle – on exigeait des fidèles qu'ils consacrent douze à seize heures de leur journée à récolter des fruits et des légumes pour la consommation du personnel et à fabriquer diverses denrées destinées à la vente : cartes à jouer coquines, dés en mousse à suspendre aux rétroviseurs, ramasse-miettes pour restaurants, etc. Outre mes responsabilités dans la maintenance du système d'écoulement des eaux usées, j'avais pour mission, en tant que gardien, de ramasser au pique-feuilles les papiers d'emballage des friandises à la caroube bio qui jonchaient le sol. Au début, il fut difficile de s'adapter au régime essentiellement composé de graines de luzerne, de tofu et d'eau ionisée ; mais un billet de dix allongé à l'un des gourous les moins stricts, dont le frère tenait une gargote des environs, permettait de se faire livrer de temps en temps un sandwich thon-mayo. La discipline était plutôt laxiste, on attendait de chacun qu'il prenne ses responsabilités ; toutefois, contrevenir aux règles de diététique ou tirer au flanc pendant le travail pouvait occasionner des sanctions : la flagellation, par exemple, ou la pendaison à un téléphone portatif de campagne. Les humiliations se succédaient, cela participait du rituel purificateur pour débarrasser chacun de ses tendances égoïstes. Et lorsque enfin il fut décrété que j'allais pouvoir faire l'amour à une prêtresse karmique qui ressemblait comme deux gouttes d'eau au mafioso Vincent Coll, dit Mad Dog, je décidai qu'il était temps de plier les gaules. Après être passé sous le grillage barbelé en rampant sur le dos, je m'échappai dans la nuit noire et hélai le dernier 747 à destination de l'Upper West Side.

« Alors, fit ma femme avec cette tolérance mâtinée de bonté qu'on réserve aux individus irrémédiablement atteints de sénilité. Tu t'es dématérialisé pour te téléporter jusqu'ici ou est-ce là une serviette de cocktail Continental Airlines que je vois pendouiller à ton cou ?

— Je ne suis pas resté assez longtemps pour ça, ripostai-je, fulminant contre elle et son subtil mépris, mais j'en ai suffisamment sué pour apprendre ce petit numéro. Regarde bien. »

Sur ce, je m'élevai quinze centimètres au-dessus du sol et me déplaçai ainsi dans la pièce, tandis que sa bouche s'ouvrait comme celle du requin des *Dents de la mer*.

« Vous êtes tous pareils, les je-sais-tout à basse fréquence », dis-je, remuant le couteau dans la plaie avec une joie non dissimulée, mais avec indulgence cependant.

Elle poussa un ululement de sirène annonçant les bombardements ennemis, et ordonna à nos enfants de courir aux abris pour échapper à cet envoûtement cauchemardesque. C'est à ce moment-là que je commençai à réaliser que je n'arrivais pas à redescendre. J'eus beau faire tout mon possible, la manœuvre se révéla impossible. Un tohu-bohu digne de la scène de la grande salle de réception dans *Une nuit à l'opéra* s'ensuivit : les enfants étaient incontrôlables, ils tremblaient et mugissaient. Les voisins accoururent pour nous sauver de ce qu'ils croyaient sans doute être un massacre. Pendant ce temps, à grand renfort de grimaces et de contorsions, je déployais des efforts faramineux pour perdre de l'altitude. En vain. Finalement, ma moitié passa à l'action. S'emparant d'une planche qui se trouvait à portée de main, elle prit le parti de résoudre cette anomalie de la physique conventionnelle en me tapant sur le crâne. Elle m'envoya au tapis en trois coups. Aux dernières nouvelles, Max Flummery s'était définitivement dématérialisé. Quant à Galaxie Sunshine et son Cercle de la Divine Ascension, la rumeur veut que le fisc s'en soit mêlé : l'organisation aurait été démantelée et, faute d'être réincarnée, Galaxie aurait été réincarcérée. En ce qui me concerne, je n'ai plus jamais pu m'élever à nouveau dans les airs, ni deviner à l'avance le nom d'un seul cheval qui fasse mieux que sixième au tiercé d'Aqueduct.

THÉORIE DES CORDES ET DÉSACCORD

Je suis grandement soulagé d'apprendre qu'on est enfin en mesure d'expliquer l'univers. J'allais finir par croire que c'était moi qui déraillais. Il s'avère que finalement la physique, telle une vieille tante qui radote, a réponse à tout. Le big-bang, les trous noirs et la soupe primordiale se rappellent à notre bon souvenir tous les mardis dans le « cahier sciences » du *Times*, tant et si bien que je comprends désormais les subtilités de la relativité générale et de la mécanique quantique aussi bien qu'Einstein – Einstein Moomjy, j'entends, le marchand de tapis. Comment ai-je pu ignorer si longtemps qu'il existe dans l'univers des unités aussi infimes que la « longueur de Planck », qui mesure un millionième de milliardième de milliardième de milliardième de centimètre ? Vous vous rendez compte, si vous en faites tomber une dans la salle obscure d'un cinéma, pour la retrouver ? Comment fonctionne l'attraction universelle ? Si la gravité devait soudain cesser, certains restaurants exigeraient-ils encore le port du veston ? Ce que je sais, en physique, c'est que pour un homme se tenant sur la berge, le temps passe plus vite que pour celui qui se trouve en bateau – surtout si ce dernier est avec sa femme. Le dernier miracle de la physique est la théorie des cordes, ou « théorie du tout ». Une théorie globale qui expliquerait l'ensemble des phénomènes physiques, y compris l'incident de la semaine dernière ci-dessous décrit.

Je me suis réveillé vendredi, mais comme l'univers est en pleine expansion, il m'a fallu plus de temps que de coutume pour trouver ma robe de chambre. Du coup, je suis parti en retard au travail. En outre, compte tenu de la relativité du concept de haut et de bas, l'ascenseur que j'ai pris montait et je me suis retrouvé au dernier étage de l'immeuble, où j'ai eu toutes les peines du monde à trouver un taxi. Il ne faut pas oublier qu'un homme voyageant dans un vaisseau spatial à une vitesse proche de celle de la lumière aurait donné l'impression de ne pas être en retard au bureau – voire d'être un peu en avance, et en tout cas mieux sapé que moi. Quand je suis finalement arrivé au travail, je suis allé voir mon patron, M. Muchnick, pour lui expliquer la raison de mon retard, sauf que ma masse a augmenté en proportion inverse du carré de la distance, ce qu'il a considéré comme de l'insubordination. Il a été question d'une retenue sur mon salaire, lequel, rapporté à la vitesse de la lumière, est de toute façon assez négligeable. D'ailleurs, comparé au nombre d'atomes dans la galaxie d'Andromède, je gagne assez peu. J'ai essayé de faire part de mes réflexions à M. Muchnick. Il a dit que je ne tenais pas compte du fait que le temps et l'espace, c'était la même chose. Il a d'ailleurs juré que si cette situation venait à changer, j'aurais droit à une augmentation. Je lui ai alors répondu que dans la mesure où le temps et l'espace revenaient au même, comme il faut trois heures pour fabriquer un article qui à l'arrivée mesure moins de quinze centimètres, on ne peut décemment pas le vendre à plus de cinq dollars. Le seul aspect positif de l'identité du temps et de l'espace, c'est que lorsque vous bourlinguez aux confins de l'univers pour un voyage de trois mille années terrestres, certes, à votre retour, vos amis seront morts, mais au moins vous n'aurez pas besoin de Botox.

De retour dans mon bureau, où les rayons du soleil entraient par la fenêtre, je me suis dit que si cet immense astre doré explosait soudain, notre planète quitterait son orbite et prendrait la tangente pour l'éternité – une bonne raison de plus de ne jamais se séparer de son téléphone portable. D'un autre côté, si j'avais un jour la possibilité d'aller à une vitesse supérieure à trois cent mille kilomètres par seconde et, ainsi, de remonter à travers les siècles, pourrais-je atterrir en Égypte antique ou dans la Rome impériale ? Mais une fois sur place, qu'est-ce que j'y ferais ? Je ne connaissais pratiquement personne, là-bas. C'est alors que notre secrétaire, Mlle Lola Kelly, est entrée. Pour revenir au débat opposant les tenants d'un univers exclusivement particulier aux théoriciens d'un monde ondulatoire, je peux témoigner : la démarche de Mlle Kelly est assurément ondoyante. Aucun scientifique ne contestera l'ondoiement de ses hanches lorsqu'elle se rend au distributeur d'eau réfrigérée. Je pense pouvoir affirmer qu'elle et moi avons des atomes crochus, et ses courbes ne laissent pas insensibles les hommes, qui tendent à filer chez Tiffany lui acheter des breloques. Ma femme aussi est plus ondulatoire que particulaire, bien que ses ondes aient maintenant tendance à s'affaisser un peu. À moins que le problème de ma femme soit lié à un excès de quarks, ou du moins à un léger surquark. À vrai dire, ces temps-ci on pourrait croire qu'elle a franchi l'horizon des événements pour se faire happer par un trou noir, dans lequel elle s'est trouvée partiellement engloutie. Ça lui confère une drôle de forme qui, je l'espère, pourra être corrigée par fusion à froid. Moi, je conseille toujours d'éviter les trous noirs car une fois qu'on est pris dans ces machins-là, on a toujours un mal fou à s'en sortir. Sans parler des risques d'une perte d'acuité auditive tout à fait préjudiciable au mélomane. Si d'aventure vous tombez tout au fond d'un trou noir et émergez à l'autre bout, alors il y a de bonnes chances pour que vous reviviez en boucle votre vie entière, mais vous serez certainement trop compressé pour sortir et rencontrer des nanas.

Je me suis donc approché du champ gravitationnel de Mlle Kelly et j'ai senti qu'elle était dans mes cordes. Je n'ai plus eu qu'une seule idée en tête : envelopper ses gluons de mes bosons à faible interaction, me glisser par un trou de ver et m'abandonner aux plaisirs de l'effet tunnel. À cet instant précis j'ai perdu mes moyens, frappé de plein fouet par le principe d'incertitude d'Heisenberg. Comment passer à l'action si je ne pouvais mesurer simultanément sa position et sa vitesse ? Et que se passerait-il en cas de singularité initiale, autrement dit si une rupture dans l'espace-temps venait à se produire ? Ça fait un tel barouf. Tout le monde allait lever la tête et j'aurais l'air malin devant Mlle Kelly. Ah, pourtant cette jeune femme possède une telle « énergie noire » ! L'énergie noire – ou « énergie sombre » – m'a toujours excité, surtout chez les femmes qui ont des dents de lapin. J'ai alors eu ce fantasme : j'arrive à l'attirer dans un accélérateur de particules, oh cinq minutes, pas plus, je suis à côté d'elle avec une bouteille de château-lafite, elle me chante un quantique, et nos noyaux entrent en collision. Évidemment, juste à ce moment-là je me suis retrouvé avec une poussière d'étoile dans l'œil et en guise d'entrée en antimatière il a fallu que je trouve un Coton-tige. J'avais pratiquement perdu tout espoir lorsqu'elle s'est tournée vers moi.

— Je suis navrée, a-t-elle dit. J'avais l'intention de commander un café et un pain aux raisins mais je n'arrive plus à me souvenir de l'équation de Schrödinger. C'est tout de même idiot, non ? Pourtant, je l'ai sur le bout de la langue.

— Ah, l'évolution des ondes probabilistes, ai-je susurré. Dites, puisque vous y allez, pourriez-vous me commander un muffin aux muons et du thé lepton ?

— Avec plaisir, a-t-elle répondu en souriant avec coquetterie, s'enroulant sur elle-même jusqu'à prendre la forme de Cabali-Yau. J'ai senti que ma constante de couplage envahissait son champ faible tandis que je posais mes lèvres sur son neutrino humide. J'ai apparemment accompli une sorte de fission, car l'instant d'après, je me suis relevé avec un œil au beurre noir gros comme une supernova.

À croire que si la physique peut presque tout expliquer, la gent féminine demeure néanmoins un mystère. Quant au coquard, j'ai raconté à ma femme que c'était à cause de l'univers qui est non pas en expansion, comme on a pu le croire, mais en phase de contraction ; je ne faisais pas bien attention, c'est tout. Ce que je peux être tête en l'air, je vous jure.

LES INFORTUNES D'UN GÉNIE MÉCONNU

Dans le cadre d'un programme de remise en forme visant à réduire mon espérance de vie à celle d'un mineur du dix-neuvième siècle, je faisais mon jogging l'été dernier dans la Cinquième Avenue. Afin de soulager mon système respiratoire anémié, je m'arrêtai à la terrasse du Stanhope Hotel et commandai une vodka-orange bien fraîche. Le jus d'orange étant tout à fait recommandé dans mon régime, je m'envoyai plusieurs tournées. Sauf qu'au moment de me relever, j'exécutai une série de figures acrobatiques dignes de Bambi faisant ses premiers pas.

Des profondeurs d'un cortex qui avait généreusement mariné dans la Smirnoff, je me rappelai soudain avoir promis de m'arrêter chez Zabar pour acheter des médaillons de chèvre et du pain braisé hollandais. Si ce n'est que je me trompai de porte et entrai en titubant au Metropolitan

Museum. Je m'avançai dans les couloirs d'un pas vacillant, ma tête tournait comme un Zoetrope, et en reprenant peu à peu mes esprits, je me rendis compte que j'avais devant moi les tableaux d'une exposition intitulée « De Cézanne à Van Gogh : la collection du docteur Gachet ».

Gachet, compris-je d'après le topo placardé au mur, avait été le médecin traitant de peintres tels que Pissarro et Van Gogh, à une époque où ceux-ci n'étaient pas encore des artistes adulés, soit qu'ils fussent tombés sur une cuisse de grenouille pas fraîche, soit qu'ils eussent un brin forcé sur l'absinthe. Comme la célébrité n'était pas encore au rendez-vous et qu'ils n'avaient pas un sou vaillant en poche, ils cédaient une huile ou un pastel en échange d'une visite à domicile ou d'une dose de mercure. Gachet accepta les œuvres qu'on lui offrit et grand bien lui prit, me dis-je en admirant les tableaux de Renoir et Cézanne, probablement décrochés des murs de la salle d'attente du brave médecin. Je n'ai pu m'empêcher de m'imaginer dans une situation similaire.

Le 1ᵉʳ décembre

La fortune me sourit ! Un patient vient de m'être confié, à moi, Skeezix Feebleman, par Noah Untermensch en personne, le génie de la psychanalyse, spécialiste des troubles mentaux chez les créateurs. Untermensch s'est constitué une clientèle prestigieuse et sans égale dans le show-biz – du moins si l'on excepte la liste des « acteurs immédiatement disponibles » de l'agence William Morris.

« Ce môme Pepkin est un auteur-compositeur né, m'annonça au téléphone le docteur Untermensch, qui faisait le forcing pour que j'accepte de recevoir cet éventuel patient. De la trempe d'un Jerry Kern ou d'un Cole Porter, mais moderne. Le gamin est sans doute miné par une culpabilité qui le paralyse. Ce que j'en dis ? La relation à sa mère. Il va falloir lui triturer un certain temps le ciboulot, qu'il évacue un peu de son angoisse existentielle. Vous ne le regretterez pas, je vois d'ici une avalanche de récompenses, des Tony, des oscars, des Grammy, voire la médaille présidentielle de la Liberté. »

J'ai demandé à Untermensch pourquoi il ne prenait pas personnellement Pepkin comme patient.

« Je suis débordé, m'a-t-il répondu. Que des urgences analytiques : l'actrice dont la copropriété refuse les chiens, le présentateur météo qui aime les fessées, sans parler du producteur que Mike Eisner ne rappelle jamais. Lui, je l'ai placé sous étroite surveillance, j'ai peur qu'il se fiche en l'air. Quoi qu'il en soit, faites au mieux et inutile de me tenir au courant de l'évolution du traitement. Vous verrez, ce garçon a le chœur sur la main. Ah ah. »

Le 3 décembre

Ai rencontré Murray Pepkin aujourd'hui, il est incontestablement artiste jusqu'au bout des ongles. Les cheveux en bataille, le regard halluciné, un type à part, obsédé par son œuvre, même s'il croule sous les dettes. Ah, les mesquines contraintes du quotidien : se nourrir, payer son loyer, verser ses deux pensions alimentaires. En tant qu'auteur-compositeur, Pepkin est un visionnaire qui choisit de peaufiner ses paroles dans un studio du Queens, au-dessus des établissements Fleischer Frères, Embaumement de qualité, où il intervient d'ailleurs parfois en tant que conseiller ès maquillage. Je lui ai demandé pourquoi il croyait avoir besoin d'entamer une analyse. Il m'a confié que chaque note et chaque syllabe qu'il écrit a beau être totalement géniale, il a néanmoins le sentiment d'être trop sévère vis-à-vis de lui-même. Il avoue avoir constamment fait des choix désastreux avec les femmes. Il a récemment épousé une actrice avec qui il entretient une relation fondée moins sur l'éthique occidentale traditionnelle que sur le code d'Hammourabi, du dix-septième siècle avant notre ère. Peu après le mariage, il l'a surprise au lit avec leur nutritionniste. Une dispute a éclaté et elle a frappé Pepkin en pleine tête à l'aide d'un dictionnaire de rimes, au point qu'il en a oublié le deuxième couplet de *Dry Bones*.

Lorsque j'ai abordé la question de mes honoraires, Pepkin m'a avoué, tout penaud, qu'il était un peu raide ces temps-ci. Il a dilapidé ce qui restait de ses économies dans une presse à canard. Il se demandait s'il n'y aurait pas moyen de s'entendre sur des versements échelonnés. Lorsque je lui ai expliqué que la contrainte financière était au cœur du dispositif psychanalytique, il a proposé de me payer en chansons, m'informant que j'aurais fait une sacrée affaire si j'avais possédé les droits de *Begin the Beguine* ou de *Send In the Clowns*. Avec le temps, non seulement les royalties générées par ses œuvres tomberaient aujourd'hui dans mon escarcelle, mais en plus, je serais célébré dans le monde entier comme le mécène d'un génie en herbe de l'envergure de Gershwin, des Beatles, voire de Marvin Hamlisch. Je me suis toujours enorgueilli d'avoir un certain flair lorsqu'il s'agit de repérer des talents prometteurs. Je me rappelle qu'un homéopathe français du nom de Cachet ou Kashay avait amplement été récompensé des ordonnances qu'il avait prescrites à Van Gogh en se faisant offrir des tableaux pour participer à ses frais d'abaisse-langue. Décidément, le cas Pepkin me fascine de plus en plus, d'autant que mes frais fixes enflent comme un pouce après une rencontre impromptue avec un marteau. Entre l'appartement sur Park Avenue, la maison de plage à Quogue, les deux Ferrari et Foxy Breitbart, une petite pépée qui me coûte les yeux de la tête. Je suis tombé sur elle un soir en écumant les bars à célibataires. Lorsqu'elle est en string, sa peau veloutée me colle un sourire large comme ça, il faudrait y aller au burin pour l'effacer. Ajoutez à ceci des investissements quelque peu hasardeux dans la goyave du Liban et vous comprendrez que je sois un peu à sec. Cependant une petite voix me souffle que si je sais saisir l'occasion au vol, je risque de décrocher une rente à vie. Et pour peu qu'Hollywood fasse un jour un film sur lui, je serais même capable de décrocher un oscar du meilleur second rôle.

Le 2 mai

Cela fait aujourd'hui six mois que je compte Murray Pepkin parmi mes patients, et si ma foi en son génie demeure inentamée, je dois dire que je ne me rendais pas compte de l'ampleur de la tâche. La semaine dernière, il m'a appelé à trois heures du matin pour me raconter en détail le rêve qu'il avait fait, où les compositeurs Richard Rodgers et Lorenz Hart apparaissaient à sa fenêtre sous forme de perroquets et se mettaient à lustrer sa voiture. Quelques jours plus tard, il m'a fait appeler à l'Opéra et a menacé de se suicider si je ne venais pas immédiatement le chercher au Umberto's Clam House pour écouter son idée de comédie musicale inspirée de la

classification décimale de Dewey. J'ai cédé par res-
pect pour son talent   talent que, soit dit en passant,
je semble être le seul à reconnaître. Au fil des six
mois écoulés, il m'a fait cadeau d'un kilo de chansons, certaines griffonnées à la hâte sur un coin de
nappe, et si pour l'instant aucune n'a trouvé preneur
chez un éditeur musical, il affirme qu'avec le temps
elles deviendront toutes des classiques. L'une d'elles
est une ritournelle sophistiquée intitulée *Tu seras
mon puma à Lima, je serai ton orque à New York*.
Un morceau à fredonner façon crooner, et qui
regorge de références à tiroirs. *Molting Time* en
revanche est une complainte qui n'est pas sans rappeler le chef-d'œuvre irlandais *Danny Boy*. Je suis
d'accord avec Pepkin : seul un ténor de génie pourra
rendre justice à ce titre. Autre superbe chanson
d'amour qui, Pepkin me le garantit, finira par caraco-
ler au sommet du hit-parade : *Mes lèvres seront un
peu en retard cette année*, avec ces paroles
sublimes : « Si tu veux embrasse-moi l'index/mais
surtout garde-moi sur ton Rolodex. » À ce florilège
d'œuvrettes promises à un succès certain, Pepkin a
ajouté *Souris-moi, souris-mi*, un de ces hymnes
patriotiques qui, m'assure-t-il, contribuera à remonter le moral des troupes en cas de guerre nucléaire
totale et ne pourra que me rapporter un max. N'empêche j'aurais bien besoin d'un peu de pépettes,

d'autant que Foxy, à présent ma fiancée, a sous-entendu avec une subtilité toute relative qu'elle allait avoir besoin d'un manteau long pour l'hiver, et nécessairement de la famille de la martre...

Le 10 juin

Je traverse une période de difficultés profession-nelles, ce qui fait partie des risques du métier pour le psy « de proximité » que je suis. Pourtant j'ai le sentiment que cet hématome sous-dural de la taille d'un cervelas de chez Burnkhorst est la goutte d'eau qui fait déborder le vase. L'autre nuit, alors que je m'étais rapidement endormi après une dure journée de psychanalyse, j'ai reçu un coup de fil paniqué de la femme de Pepkin. Tandis que nous parlions, elle tenait son mari à distance en le menaçant avec du gaz incapacitant. Apparemment elle ne s'était pas montrée tout à fait emballée par la nouvelle chanson d'amour mélancolique de sor mari : *A Side Order of Heartache, Please*, allant jusqu'à suggérer que c'était l'occasion idéale d'étrenner leur nouveau broyeur à papier. Réalisant le tort que causerait à un petit cabinet comme le mien le nom de Feebleman dans les gros titres de la presse à scandale, comme cela ne manquerait pas de se produire si j'alertais la flicaille, je quittai mon appartement en slip et fonçai

comme un dératé jusqu'au pont de la Cinquante-
neuvième Rue. Arrivé chez Pepkin, je trouvai le mari
et la femme en position de combat, face à face, chacun d'un côté de la table de la cuisine, cherchant
l'ouverture pour frapper. Magda Pepkin était cram-
ponnée à sa bombe lacrymo, Pepkin à un souvenir
rapporté du Shea Stadium le jour de la distribution
gratuite de battes.

Convaincu qu'il fallait faire preuve de fermeté, je
me suis interposé. J'étais en train de me racler la
gorge avec une certaine emphase empreinte de
dignité quand Pepkin a donné un coup de batte destiné à sa femme. Sauf que je me le suis pris en plein
crâne, et on a entendu un craquement digne d'un gla-
cier en phase d'effondrement. Je me suis avancé en
chancelant, j'ai souri aux trente-six étoiles qui me
faisaient de l'œil, dont l'Alpha du Centaure. Je me
rappelle avoir été emmené d'urgence à l'hôpital, où
j'ai été admis sur-le-champ dans le service des Soins
intensifs pour ramollos du bulbe.

En guise de récompense pour ce que l'un de mes
collègues appelle « une fidélité au serment d'Hippo-
crate qui frise le crétinisme », je dirais que je marche
sur des œufs. À défaut de billets verts bien craquants,
je possède à présent une centaine de chansons, que je
n'ai pas réussi à vendre. Le fait que tous les grands
pontes de l'industrie musicale aient à l'unanimité
décrété qu'il n'y avait pas une molécule de promesse

dans les chansons de cabaret que je leur soumettais – des titres héroïques tels que *Faut faire avec (les hormones mec)* ou la sublime ballade *Ah y meurt, Alzheimer* – me laisse à penser que Pepkin n'a peut-être pas la carrure d'un Irving Berlin. Pourtant, dans sa mélodieuse *Everything's Up to Date at Yonah Schimmel's*, que je possède, et dont je n'arrive pas à tirer un rond, l'ironie contrite des paroles me fait sourire : « Mon ami vois-tu l'espoir/c'est un peu comme le strudel/On s'en prend plein la gueule/C'est pour les bonnes poires. »

Le 4 novembre

J'en suis arrivé à la conclusion suivante : Pepkin n'est qu'un pauvre schnock totalement dénué de talent. Tout a commencé à partir en quenouille le jour où j'ai découvert que les sociétés offshore que j'avais montées pour défiscaliser et optimiser mes recettes, avaient commencé à attirer l'attention du fisc, qui leur trouvait beaucoup d'analogies avec celles d'Al Capone. D'autorité, le ministère des Finances les a toutes fermées, et a décidé de m'infliger une amende à hauteur de huit fois mon revenu net. J'ai littéralement suffoqué en apprenant la nouvelle assortie d'une assignation à comparaître. Tandis qu'on emportait mes meubles, j'ai expliqué à Pepkin que je ne pouvais plus le soigner à l'œil. Et pour la première fois il a fait preuve de bon sens : il a mis fin à la cure. En outre, sur les conseils de je ne sais quel escroc avec qui il faisait ses parties de billard, il m'a intenté un procès pour faute grave. Foxy Breitbart a très mal vécu l'épreuve qu'a été la suppression de sa carte des grands magasins Bergdorf Goodman. Elle m'a d'ailleurs remplacé illico par un gringalet anorexique et bigleux, catapulté, à vingt-cinq ans, sept rangs au-dessus du sultan de Brunei au classement *Forbes* des plus grandes fortunes – grâce à je ne sais quel brevet sur une vulgaire puce informatique. Quant à moi, je me suis retrouvé avec une malle remplie de partitions aux titres évocateurs, tels *Le Ver de terre de Toscane* et *Au bal du spéléologue*. J'ai tâché, mais en vain, de lancer ces minuscules éléphants blancs, j'ai même tenté de voir combien ils me rapporteraient en gros si je cédais la totalité au poids à une usine de recyclage de papier. Mais Pepkin n'a pas tardé à m'asséner le coup de grâce. Il m'a porté l'estocade, en la personne d'un certain Wolf Silverglide. Silverglide, un saligaud en gabardine avait un grand projet : monter une comédie musicale qui reprendrait la *Lysistrata* d'Aristophane, rebaptisée pour l'occasion *Pas ce soir, j'ai la migraine*. Boostée grâce à d'astucieuses chansons modernes, cette vieillerie de l'Attique, désormais tombée dans le domaine public, allait, selon Silverglide, faire de nous des maharadjahs. Il avait appris que je possédais une grande quantité de chansons non publiées qu'il pourrait acquérir pour une bouchée de pain. Prêt à valoriser enfin les droits que j'avais si durement acquis, j'ai proposé à Silverglide une fournée de chansonnettes faciles à fredonner en échange de parts dans l'entreprise et d'un téléviseur noir et blanc d'époque. La production a commencé, avec une bande-son intégralement signée Murray Pepkin. Le clou du spectacle était une chanson d'amour mélancolique intitulée *Les italiques sont de moi*, qui recelait ces paroles inoubliables : « Malgré ma flemme/Je suis en émoi/*Je t'aime* (les italiques sont de moi). »

Les représentations ont commencé et l'accueil de la critique a été mitigé. *Le Journal de l'aviculteur* a bien aimé, ainsi que *Cigar Magazine*. Les quotidiens en revanche, emboîtant le pas à *Time* et à *Newsweek*, se sont montrés plus réservés, faisant leur la formule de l'un d'eux, qui a qualifié la comédie musicale de « trou noir d'une insondable bêtise ». Incapable d'isoler un seul extrait de phrase parmi les critiques publiées, qui ne mette en péril sa vie, Silverglide a interrompu son somptueux spectacle avant de quitter New York à la vitesse du photon, me laissant seul pour faire face à une avalanche de procès pour plagiat.

Apparemment des experts ont déclaré sous serment que le meilleur de la musique du maestro Pepkin se révélait par trop proche de certaines ritournelles confidentielles telles que *Body and Soul*, *Stardust* et même d'un petit air militaire qui commence par « From the halls of Montezuma » (oui, l'hymne des Marines). En attendant, je me présente chaque jour au tribunal. De loin, on peut croire que je regarde dans le vide, mais en fait je scrute le public. Ce que je me dis, c'est que si je tombe un jour sur le Van Gogh de la composition musicale, je m'empare de l'un des derniers objets encore en ma possession, mon coupe-choux, et je lui tranche les *deux* oreilles (les italiques sont de moi).

NOUNOU TRÈS CHÈRE

« Qui sait quel mal se tapit dans le cœur des hommes ? L'Ombre le sait. » Éclatait alors un gloussement diabolique qui, chaque dimanche, me faisait froid dans le dos. L'oreille collée contre le poste de TSF Stromberg-Carlson, je restais pétrifié dans l'hivernale lumière crépusculaire du lugubre logis de mes géniteurs. À vrai dire, je n'avais pas la moindre idée de la sombre malice qui hantait ce bas monde, à commencer par mes propres ventricules, jusqu'à un jour récent, voici quelques semaines, où je reçus un coup de fil de ma tendre moitié à Escamott & Karapatt, mon bureau de Wall Street. Sa voix habituellement assurée chevrotait, évoquant le mouvement brownien des particules élémentaires, et j'entendis immédiatement qu'elle s'était remise à la clope.

« Harvey, il faut que je te parle, annonça-t-elle sur un ton qui ne laissait rien présager de bon.

— Est-ce que les enfants vont bien ? demandai-je du tac au tac, m'attendant à ce qu'elle me lise une demande de rançon d'une seconde à l'autre.

— Oui, oui, mais c'est à propos de Mlle Viaire (notre nounou !), cette traîtresse souriante et d'une politesse irréprochable.

— Agrippa ? Eh bien quoi ? Ne me dis pas que cette bêtasse a encore cassé une de nos tasses fantaisie !

— Elle est en train d'écrire un livre sur nous, psalmodia-t-elle d'une voix d'outre-tombe.

— Sur nous ?

— Sur son expérience de baby-sitter chez nous, dans Park Avenue, toute l'année dernière.

— Comment le sais-tu ? m'étranglai-je, soudain pris de regret (Pourquoi avais-je dédaigné les conseils de l'avocat qui me suggérait de faire figurer une clause de confidentialité dans notre contrat avec Miss Viaire ?).

— Je suis entrée dans sa chambre pendant qu'elle était sortie pour rapporter deux tic-tac que j'avais empruntés avant les vacances. Et là, par hasard, je suis tombée sur un manuscrit. Évidemment, je n'ai pas résisté à la tentation d'y jeter un œil. Chéri, c'est haineux et gênant au-delà de tout ce que tu peux imaginer. Surtout les passages où elle parle de toi. »

Ma joue fut prise d'un tressaillement. Des perles de condensation apparurent soudain sur mon front, comme à l'extérieur d'un verre de bourbon menthe à la glace pilée.

« Dès qu'elle rentre à la maison, je la vire, annonça mon immortelle bien-aimée. Figure-toi que cette langue de vipère me traite de porcinette.

— Non ! Ne la vire pas. Ça ne l'empêchera pas d'écrire son livre. Sa prose n'en sera que plus caustique, c'est tout ce qu'on va gagner.

— Mais alors, que faire ? Tu sais très bien l'impact que ses révélations auront sur nos copains de la haute. Nous ne pourrons plus mettre les pieds dans un seul des troquets huppés où nous avons nos entrées sans faire l'objet de cancans, sans être la risée de tous. Viaire te décrit comme un "gringalet ratatiné qui arrive à inscrire ses mômes dans les garderies les mieux classées de la Côte Est uniquement parce qu'il dégaine à chaque fois le carnet de chèques. Un pauvre minus incapable d'honorer bobonne".

« S'il te plaît, attends que je sois rentré à la maison, implorai-je. Il va falloir qu'on se creuse les méninges.

— Tu as intérêt à enclencher le turbostato-réacteur : elle en est déjà à la page trois cent. »

Sur ces belles paroles, la lumière de ma vie me raccrocha au nez, et le bruit me résonna dans les oreilles, non sans évoquer le glas sinistre du satané poème de John Donne. Simulant les symptômes de la maladie de Whipple, je quittai le bureau avant l'heure. Je fis une halte au Palais du Houblon, au coin de la rue, pour calmer mon palpitant et réfléchir à ce qui nous arrivait.

Le moins qu'on pût dire, c'est que notre histoire avec les bonnes d'enfants n'avait jamais été un fleuve tranquille. La première était une Suédoise qui ressemblait au boxeur Stanley Ketchel. Son comportement avait été irréprochable ; elle avait réussi à imposer une certaine discipline aux marmots, lesquels avaient commencé à se tenir correctement à table, cependant que d'inexplicables contusions étaient apparues sur leurs corps. Un beau jour, il me fallut toutefois interroger la jeune femme sur ses méthodes : la caméra que nous avions dissimulée à la maison la montrait en pleine action avec mon fils : elle lui tenait la tête d'une main, une jambe de l'autre, et le faisait rebondir à l'horizontale sur ses épaules, exécutant la prise baptisée « cassage de dos à la mode argentine » par les catcheurs.

Manifestement peu habituée à ce qu'on se mêle de ses affaires, elle me souleva en l'air et me plaqua contre le papier peint à un bon mètre du sol.

« Fourre pas ton tarbouif dans mon bol de riz, me conseilla-t-elle. À moins que t'aies envie de finir en nœud plat. »

Indigné, je lui demandai le soir même de faire ses valises. L'assistance d'une seule escouade des Forces spéciales d'intervention fut suffisante.

Celle qui lui succéda était une jeune fille au pair de dix-neuf ans, une Française bien moins agressive répondant au nom de Véronique, toute en déhanchés et gazouillis, cheveux blonds, minois de star du porno, longues guiboles fuselées et une paire de lolos qui nécessitait quasiment le recours aux échafaudages. Malheureusement sa motivation était plus que modérée ; elle préférait se prélasser sur la chaise longue en petite culotte et jeter un sort aux truffes au chocolat tout en feuilletant le magazine *W*. Je fis preuve de plus de souplesse que ma femme et m'adaptai au style personnel de la ravissante créature. Je tentai même de l'aider à se détendre en la gratifiant à l'occasion d'un massage de dos. Mais lorsque la bourgeoise remarqua que je m'étais mis aux produits de beauté Max Factor et que j'avais pris l'habitude d'apporter à la jolie Frenchie son petit déjeuner au lit, elle glissa dans le décolleté de Véronique un avis de licenciement et se chargea personnellement de déposer sa Louis Vuitton sur le trottoir.

Vint finalement Mlle Viaire, une jeune femme parfaitement insipide qui allait sur la trentaine, s'occupait correctement des enfants, et savait ne pas la ramener. Ému par son strabisme, j'avais traité Agrippa plus comme un membre de la famille que comme une domestique. Sauf que pendant tout ce temps, tout en reprenant une part de diplomate et en profitant du bon fauteuil de la maison en dehors de ses heures de travail, elle amassait en secret du matériau pour brosser un portrait peu flatteur de ses bienfaiteurs.

Arrivé à la maison, je pris connaissance en cachette de son récit infamant et en restai bouche bée.

« Un pauvre type aigri et vide comme un tuyau de poêle qui, au bureau, récolte les honneurs à la place de ses collègues qui se tapent tout le boulot », avait osé écrire la petite peste. « Un fou furieux complètement lunatique capable de gâter ses enfants et, au premier écart de conduite, de les tabasser avec un cuir à rasoir. » Je feuilletai l'épouvantable tissu de calomnies, affligé par cette accumulation de blasphèmes. « Harvey Bidnick est un malotru, un petit énervé incapable de la boucler. Il se croit drôle mais consterne ses invités avec ses bons mots ringards qui n'auraient pas déclenché un seul sourire il y a cinquante ans sur le circuit Borscht des comiques amateurs des Catskills. Son imitation de Satchmo fait fuir même les plus courageux. La femme de Bidnick, il faut se la fader, elle aussi : un vrai glaçon, et boulotte avec des cuisses couvertes de cellulite ; ses références intellectuelles ultimes sont Manolo Blahnik et Prada. Le couple passe son temps à se chamailler. Une fois, la dondon est revenue avec une facture à six chiffres pour un Wonder Bra fabriqué sur mesure, et Bidnick a refusé de payer. Furibarde, elle lui a arraché son postiche, l'a jeté par terre et l'a criblé de balles en se servant du revolver qu'ils gardent toujours dans un tiroir en cas de cambriolage. Bidnick se gave de Viagra mais le surdosage provoque chez lui des hallucinations ; il lui arrive de se prendre pour Pline l'Ancien. Sa femme vieillit comme une Margo arrachée à la cité du bonheur de Shangri-La : pas un centimètre carré de son corps qui n'ait été gonflé au Botox ou charcuté au scalpel. Leur activité préférée consiste à dénigrer leurs amis. Les Birdwing sont des "grippe-sous empâtés qui servent des terrines de mouton jamais assez cuites". Le docteur Pathogen et sa femme forment "une équipe de vétérinaires incompétents responsables de plusieurs morts, et pas que des poissons rouges". Quant aux Abbatoir, c'est ce "couple français dont les perversions sexuelles vont jusqu'à des attouchements avec les personnages en cire de Madame Tussaud".

Je reposai le manuscrit d'Agrippa et allai à notre bar me préparer une série de whiskies à l'eau bien tassés. Je résolus de me débarrasser d'elle sur-le-champ.

« Si on brûle les pages, elle les réimprimera, dis-je à ma femme d'une voix qui commençait à rappeler l'élocution pâteuse d'un ivrogne de music-hall. Si on essaye d'acheter son silence, elle racontera l'offre de pot-de-vin dans son livre, ou empochera la thune et le fera quand même publier. Non, non, fis-je, me métamorphosant en un concentré de toutes les fripouilles qui peuplaient les films noirs que j'avais vus étant gamin. Nous devons la faire disparaître. Évidemment, il faudra que ça passe pour un accident. Elle pourrait peut-être se faire écraser par un chauffard qui prendrait la fuite.

— Tu n'as pas le permis, grand benêt, me rappela l'infaillible espiègle qui se trouvait face à moi, et qui sirotait allègrement sa timbale de gin-vermouth. Quant à notre chauffeur, Measly, même avec la Lincoln blanche extra-longue que tu lui fais conduire, il serait capable de louper une cible d'un kilomètre de large.

— Et si on y allait à la bombe ? bafouillai-je. Une mécanique de précision soigneusement réglée qui exploserait juste au moment où elle monterait sur son tapis Stairmaster super-fitness.

— Tu plaisantes ? bredouilla ma moitié, succombant elle aussi un peu plus à l'effet de son alcool de grain. Même si on t'apportait le plutonium sur un plateau, tu serais incapable de fabriquer une bombe. Tu te souviens du Nouvel An chinois où tu as réussi à faire tomber un pétard du feu d'artifice au fond de ton pantalon ? dit-elle en partant d'un rire rauque. Bon sang, tu as décollé, je t'ai vu passer au-dessus du garage de la maison de Long Island. Quelle trajectoire !

— Ou alors, je la pousse par la fenêtre. On rédige une fausse lettre de suicide, ou mieux on lui en fait écrire une, en usant d'un subterfuge, on trouve un prétexte pour qu'elle utilise du papier carbone.

— Tu espères arriver à hisser une nounou de soixante-quinze kilos sur le rebord de la fenêtre et la pousser alors qu'elle se débattra ? Avec tes mini-biceps ? Tu vas finir aux Urgences de Lennox Hill, oui. Avec un infarctus du myocarde – à côté, l'éruption du Krakatoa ne sera qu'un pauvre hoquet.

— Tu crois que je suis incapable de me débarrasser d'elle ? fis-je, imbibé par mes cinq cocktails, me métamorphosant en un personnage à la Hitchcock. J'ai une idée : elle sera libre de ses mouvements, mais elle sera *enchaînée*. Petit à petit, la maladie aura raison d'elle. »

Je visualisai l'image floue à l'écran, le public sent qu'Ingrid Bergman perd pied, le poison de Claude Rains commence à agir. J'avais d'ailleurs moi-même de plus en plus de mal à faire le point. Je me levai en chancelant et me dirigeai tant bien que mal vers l'armoire à pharmacie. Mes doigts se refermèrent sur le flacon de teinture d'iode. Comme par hasard, c'est à ce moment-là qu'Agrippa fit son entrée.

« Ah, monsieur B – vous êtes déjà revenu du bureau ? Vous vous êtes fait renvoyer ? Ha, ha. »

La garce sourit de l'insolence de sa propre tirade.

« Tiens, Agrippa, entrez donc, dis-je. Vous arrivez juste à l'heure pour le café.

— Vous savez bien que je ne bois pas de café.

— Je voulais dire juste à l'heure pour une tisane, rectifiai-je, mettant le cap sur la cuisine d'un pas chancelant pour mettre la bouilloire à chauffer.

— Vous êtes encore beurré, monsieur B ? me lança la petite ordure qui se permettait de me juger.

— Asseyez-vous », lui ordonnai-je, ignorant sa grossière familiarité.

Ma femme avait déjà perdu connaissance. Elle ronflait par terre.

« Mme B avait du sommeil à rattraper, décréta la baby-sitter avec suffisance en me lançant un clin d'œil. Qu'est-ce que vous faites toute la nuit, espèce de ploutocrates gâtés ? »

Faisant preuve d'une finesse qui frisait le génie, je risquai un coup d'œil par-dessus mon épaule pour m'assurer qu'elle ne regardait pas, vidai le reste du flacon de teinture d'iode dans la tasse d'Agrippa, disposai sur un plateau des petits fours succulents et lui apportai le tout.

« Hou là, dit-elle d'une voix flûtée, c'est du jamais-vu. D'habitude, on ne casse jamais la croûte à onze heures et demie du matin.

— Dépêchez-vous, dis-je. Buvons avant que ça refroidisse.

— Ce n'est pas un peu noir pour de la camomille ?
fit remarquer la perfide moucharde.

— Pensez-vous. C'est une décoction rare qui
nous vient de Laponie. Allons, finissez votre tasse.
Hum, quel délicieux goût de fumé ! Et épicé, en
plus. »

Peut-être était-ce dû aux émotions de la matinée,
ou peut-être au nombre de godets que je m'étais
envoyés avant midi, toujours est-il que je me
débrouillai pour boire cul sec la tasse empoisonnée.
Instantanément, je fus plié en deux, puis me mis à
gigoter au sol comme une truite hors de l'eau. Je
gisais par terre, à me tenir l'estomac, gémissant telle
Ethel Waters dans *Stormy Weather*, tandis que notre
nounou paniquée appelait une ambulance.

Je revois le visage des ambulanciers, la pompe
stomacale, et lorsque j'ai repris connaissance, je vis
nettement le message qu'Agrippa me tendait. Dans
sa lettre de démission, elle annonçait qu'elle en avait
marre de faire la bonniche. Elle avait un temps envi-
sagé d'écrire un livre, mais y avait finalement
renoncé, parce que ses personnages principaux
étaient décidément trop minables pour maintenir
l'intérêt de n'importe quel lecteur doté d'un minimum de QI. Elle nous quittait pour épouser un mil-
lionnaire rencontré à Central Park, au pied de la
statue d'Alice au pays des merveilles, où elle emme-
nait souvent nos enfants. Et les Bidnick dans tout

ça ? Nous n'avons pas l'intention d'engager une autre baby-sitter, du moins pas tant qu'il n'y aura pas eu d'avancée technologique significative en matière de robotique.

À Vienne que pourra

Il faudrait remonter à Hubert, dont le fameux musée de la Puce, sur la Quarante-deuxième Rue, enchanta jadis les naïfs, pour trouver dans le quartier de Broadway un escroc capable de rivaliser avec Fabian Wunch, grand embrouilleur devant l'Éternel. Avec sa calvitie naissante, son cigarillo au bec et son culot légendaire, Wunch est un producteur à l'ancienne, qui rappelle moins le dramaturge David Belasco que le tueur à gages Abe Reles, dit « Kid Twist ». Compte tenu de l'ampleur et de la régularité des flops de ses productions, le fait qu'il arrive encore à financer à chaque fois un nouvel holocauste théâtral demeure pour moi une véritable énigme, aussi impénétrable que la théorie des cordes.

L'autre jour, un bras bien en chair dans une manche de costume Sy Syms s'est enroulé autour de mes omoplates à la boutique de disques du Colony Music Center, alors que j'étais occupé à éplucher les notes de

pochette de Rusty Warren. Les remugles combinés
de l'eau de Cologne Pinaud au lilas et des cigarillos
White Owls assaillirent mon hypothalamus ; je sentis
mon portefeuille se crisper dans ma poche, telle une
oreille-de-mer flairant le danger.

— Quelle bonne surprise ! s'exclama une voix
râpeuse et ô combien familière. Justement, je voulais
te voir.

Il faut dire que je faisais partie des timbrés
notoires qui au fil des ans avaient mis de l'argent
dans plusieurs « succès assurés » de Wunch, le dernier en date étant *L'Affaire Jusquiame*, une œuvre
importée du West End londonien qui retraçait la
grande épopée de la tête de douche ajustable.

« Fabian ! fis-je d'une voix aiguë, empreinte d'une
hypocrite chaleur. On ne s'est pas revus depuis le
vilain cafouillis qu'il y a eu avec les critiques, le soir
de la première. Je me suis souvent demandé si le
fait de les avoir aspergés de gaz moutarde n'avait
pas aggravé les choses, en fait.

— Je ne peux pas parler ici, me confia furtive-
ment l'impresario à l'allure simiesque. Pas envie que
le premier pignouf ait vent d'un concept qui va pro-
pulser nos revenus à des altitudes stratosphériques.
Je connais un petit bistrot dans l'Upper East Side.
Paye-moi à déjeuner et je te proposerai peut-être un
partenariat sur un spectacle dont rien que la tournée

garantira aux enfants de tes enfants des rubis gros comme des fruits à pain. »

Eussé-je été un encornet que ce préambule aurait suffi à déclencher une éjaculation d'encre noire. Et pourtant, plutôt que d'appeler à la rescousse la brigade anti-émeute, je le suivis à l'autre bout de la ville, littéralement happé dans son sillage, retourné comme une crêpe, dans un restaurant français sans prétention où, pour la modique somme de deux cent cinquante dollars par tête, on mangeait comme Ivan Denissovitch.

« J'ai étudié toutes les grandes comédies musicales, commença Wunch en commandant un mouton rothschild 1951 et le menu dégustation. Et qu'est-ce qu'elles ont en commun ? Voyons voir, est-ce que tu sais ce qu'elles ont en commun ?

— De la bonne musique, de très bonnes paroles, tentai-je.

— Ma foi, bien sûr, ballot. Ça tombe sous le sens. Pour ces questions-là, j'ai un génie méconnu qui m'usine des chansons à succès au même rythme que les Japs te pondent des Toyota. Actuellement, pour gagner sa vie, le gamin fait faire la promenade aux toutous des mémères, mais j'ai écouté son œuvre et je peux te dire qu'Irving Berlin n'aurait pas souhaité faire mieux, si les choses s'étaient goupillées autrement pour lui. Non, ce qui fait la différence, c'est le scénario. Et c'est là que j'interviens.

— J'ignorais que la plume te chatouillait, m'étonnai-je tandis que Wunch faisait un sort à une colonie d'escargots, les extirpant goulûment de leurs coquilles, façon aspirateur.

— Notre spectacle, donc, poursuivit-il. *Fun de siècle,* ça s'appelle. Note bien l'astucieux jeu de mot du titre, car l'action se déroule à Vienne.

— Dans la Vienne contemporaine ? demandai-je.

— Mais non, andouille – à une époque autrement plus vénérable, avec toutes les nanas en carrosse et des toilettes à la *My Fair* ou *Gigi.* Sans parler de la myriade d'artistes bohèmes qui deviennent loufdingues sur le Ring. Oh, rien que Klimt, Schiele, Stefan Zweig et un péquenaud qui répond au doux nom d'Oskar Kokoschka.

— Du beau linge, en effet, dis-je, tandis que les joues de Wunch devenaient cramoisies, sans doute en hommage à l'onctueuse robe du vin de Bordeaux.

— Et ces grands messieurs, quelle est la croqueuse d'hommes qui les rend tous marteaux ? poursuivit-il. Alma Mahler, une bombe sexuelle locale. Tu as dû entendre parler d'elle. Elle se les est tous tapés – Mahler, Gropius, Werfel. Tu peux me citer qui tu veux, ils ont tous à un moment ou à un autre fait connaissance avec sa petite culotte.

— Ma foi, je ne sais pas...

— Eh bien moi je sais. Je veux dire, bon, je m'accorde quelques libertés stylistiques et narratives.

Sinon, mon gars, on accouche d'un machin soporifique. Je modernise aussi la langue. Par exemple lorsque Bruno Walter tombe par hasard sur Wilhelm Furtwängler, il lui dit : "Hé, Furtwängler, tu seras au barbecue chez Rilke, samedi soir ?" Et Furtwängler répond : "Un barbecue ?" Il est clair qu'il n'a pas été invité. Alors Walter lui dit comme ça : "Oups, désolé, je crois que j'aurais mieux fait de fermer ma boîte à camembert." Tu vois, il y a un côté urbain très actuel dans leur façon de parler. »

Comme Wunch fondait tel un oiseau de proie sur son foie gras chaud, j'éprouvai une sensation d'engourdissement au niveau vertébral. Je desserrai ma cravate pour éviter l'étouffement.

« Bien, enchaîna-t-il, alors ça commence par l'Ouverture, que je vois légère et accrocheuse, mais quand même dodécaphonique, en hommage à Schoenberg.

— Pourtant avec toutes les superbes valses de Strauss... commençai-je.

— Dis-donc, Krazy Kat, va pas falloir me la jouer Ignatz, fit Wunch en m'interrompant d'un geste dédaigneux. Les valses, on se les garde pour le grand finale, quand le public n'en peut plus, après deux heures d'atonalité.

— Oui mais...

— Ensuite, le rideau se lève et là, tout le décor, c'est du Bauhaus.

— Bauhaus ?

— Bah oui, la fonction crée la forme. D'ailleurs, la première chanson, c'est Walter Gropius, Mies van der Rohe et Adolf Loos qui chantent *La fonction crée la forme*, de même que *Blanches colombes et vilains messieurs* commence avec *Fugue for Tinhorns*. Le morceau se termine, et qui est-ce qui fait son entrée ? Alma Mahler en personne, dans une robe que même Jennifer Lopez refuserait d'enfiler. Alma est accompagnée de son compositeur de mari, Gustav. "Allons-y, beau ténébreux, dit-elle. Secoue-toi. — Encore un strudel, répond le délicat compositeur. J'ai besoin d'une bonne décharge de sucre dans le sang pour ne pas succomber à mes ruminations morbides quotidiennes." Pendant ce temps, expliquait Wunch, Gropius fait de l'œil à Alma, qui craque complètement pour lui. "J'aimerais agripper le gros pieu de Gropius", se met-elle à chanter. La scène I se termine, obscurité totale, et lorsque les lumières de la scène II s'allument, elle habite avec Gropius et le trompe avec Kokoschka.

— Et qu'est-ce qui est arrivé à son mari Gustav ? lui demandai-je.

— Écoute bien. Il zyeute le Danube – c'est qu'il l'a sacrément dans la peau, la petite mère Alma, il s'apprête à se jeter du haut du pont, quand tout à coup un gus déboule en vélo : Alban Berg.

— Non !

172

— "Ça biche, Mahler ? Tu serais quand même pas sur le point de te foutre à la baille, hein ?" qu'il lui dit. Mahler lui raconte ses déboires conjugaux et Berg lui dit qu'il a la solution. Il connaît un barbu, un type qui habite au 19, Berggasse. Moyennant quelques pfennigs pour une séance d'une heure – enfin, une heure qui dure cinquante minutes, ne me demande pas pourquoi – le type peut lui remettre le ciboulot d'équerre.

— 19, Berggasse ? Attends un peu. Mahler n'a jamais été un patient de Freud, protestai-je.

— Pas grave. Il a des petits soucis, j'en ai fait un bègue obsessionnel compulsif. Freud est intrigué. Un traumatisme d'enfance. Mahler a été le témoin de la noyade d'un bourgmestre dans le Schlag. À présent il revit la scène traumatisante. Un divan descend au centre de la scène et Freud se lance dans un grand numéro comique en interprétant *Dites-moi la première chose qui vous vient à l'esprit*. Naturellement, comme c'est Freud, toutes les expressions sont à double sens, on se moque des mœurs viennoises, en montrant que même un grand compositeur comme Mahler est inconsciemment complexé par les corsets, la bière et le ragtime, même s'il gagne sa croûte en forant dans le sublime. Grâce à Freud, le blocage de Mahler disparaît et il peut composer à nouveau. Résultat, il vainc la peur de la mort qui l'a paralysé toute sa vie durant.

— Et comment Mahler triomphe-t-il de sa peur de la mort ? m'enquis-je.

— En mourant. L'idée est de moi – en fait, c'est la seule solution.

— Fabian, il y a tout de même quelques incohérences dans ton histoire. Tu n'as pas affublé Mahler de la hantise de la page blanche. Tu as dit qu'il était déprimé à l'idée de perdre Alma.

— Tout à fait, répondit Wunch. C'est la raison pour laquelle il intente un procès à Freud. Pour faute professionnelle.

— Mais s'il est mort, comment peut-il engager des poursuites ?

— Je n'ai pas dit qu'il ne fallait pas fignoler un peu mon scénario. Mais c'est à cela que servent les premières représentations à Boston et Philadelphie, non ? Bien, à ce moment-là, Alma est maquée avec Kokoschka, mais maintenant elle se tape Gropius. Tu saisis l'ironie ? Elle chante *Coucouche avec Kokoschka* mais un accord mineur dans le couplet indique au public complice qu'il y a anguille sous roche. Et là, j'ai écrit une scène mortelle : dans un café, Gropius accuse Kokoschka d'avoir graffité la façade de l'immeuble qu'il venait tout juste de terminer. "Alors, Kokoschka, lui dit-il, c'est toi qui as barbouillé d'un ichor opaque ma dernière prouesse architecturale, les nouvelles tours *Chazerai ? !* " À quoi Kokoschka répond : "Ces espèces de cages à lapin ? Si tu appelles ça de l'architecture, alors oui, c'est moi." Furibard, Gropius balance à la figure de Kokoschka sa part de *Tafelspitz*, l'aveuglant momentanément. Il exige réparation.

— Attends, attends, dis-je. Ces deux monstres sacrés ne se sont jamais battus en duel.

— Mais dans notre petite mine d'or non plus. Car à la dernière seconde, Werfel arrive, déguisé en ramoneur, et Alma s'en va avec lui, plantant là les deux soupirants aux cœurs brisés, qui chantent le morceau sans doute le plus sophistiqué de toute l'histoire de Broadway : *Les Viennoises, toutes des escalopes*. Fin de l'acte I.

— Je ne pige pas. Pourquoi Werfel serait-il déguisé en ramoneur ? Et je persiste : si Mahler est mort, comment est-ce que lui et Alma arriveront à se rabibocher, comme cela s'est réellement passé ? »

J'avais des tonnes de questions pénétrantes à lui poser, avant qu'il se fasse étriper par un public ayant payé sa place, et donc nécessairement moins tolérant.

« Werfel doit se cacher, expliqua Wunch, parce que Kafka est en ville et veut absolument récupérer la seule copie d'une de ses nouvelles, un véritable chef-d'œuvre, prêté à Werfel, mais que celui-ci, à court de confettis, a dû réduire en mille morceaux. En ce qui concerne le rapprochement d'Alma et de Gustav, dans l'acte II, elle trompe Werfel avec Klimt, puis trahit Klimt en posant nue pour Schiele.

— Mais...

— Ne me dis pas que cela ne s'est jamais produit. Toutes ces gisquettes en porte-jarretelles que Schiele dessinait – pourquoi est-ce que l'une d'elles ne serait pas Alma Mahler ? Cela n'a d'ailleurs pas d'importance, parce qu'avant que tu aies le temps de dire "Franz Josef ", elle joue un tour de cochon à Schiele et Klimt : au milieu du deuxième acte, elle se maque avec son altesse M. Ludwig Wittgenstein. Les deux chantent en duo un titre intitulé *Sur ce dont on ne peut parler il faut garder le silence*. Mais ça ne va pas coller entre eux, parce que quand Alma dit "Je t'aime" à Wittgenstein, il décortique grammaticalement la phrase et conteste la définition de chaque mot. Le refrain célèbre la naissance de la philosophie du langage et Alma, blessée, mais dont la libido est restée intacte, chante à pleins poumons : *J'ai mes vapeurs, Popper*. Sur ce, Karl Popper fait son entrée.

— Attends ! lui dis-je, voyant d'avance le public déserter la salle, tel un troupeau de caribous en transhumance. Tu n'as pas répondu à ma question, tout à l'heure : depuis quand es-tu auteur ? J'ai toujours cru que tu étais satisfait de ton rôle de producteur.

— C'est depuis l'accident, répondit Wunch, faisant méticuleusement disparaître à l'aide de sa petite cuiller les quelques dernières molécules de profiterole. Ma douce et moi étions en train d'accrocher un tableau au mur. En essayant d'enfoncer un clou elle m'a par inadvertance assommé d'un coup de marteau. J'ai dû rester dans le coaltar pendant une dizaine de minutes. Quand j'ai repris connaissance, je me suis rendu compte que j'écrivais aussi bien que Tchekhov ou Pinter. Tout ce que je viens de te débiter, ça m'est venu en une séance de rasage. Hé, attends, ce ne serait pas Stevie Sondheim qui vient d'entrer ? Attends-moi deux minutes, je reviens tout de suite. Il faut que je lui parle d'un truc avant qu'il me file encore entre les pattes. Le pauvre vieux commence à être gâteux. La dernière fois qu'il m'a donné son numéro de téléphone, il manquait un chiffre. Pendant ce temps, règle donc la note, je te raconterai le finale devant un verre de Courvoisier. »

Et c'est ainsi qu'en passant d'une table à l'autre pour saluer des connaissances, il accosta un type qui ressemblait effectivement à l'auteur de *A Little Night Music*. La dernière image que j'aie, tandis que je me piquais le doigt pour payer l'addition en signant un chèque à l'encre O-neg, c'est celle de Wunch qui se glissait sans y avoir été invité sur une banquette, en dépit de protestations cacophoniques. Quant à ma participation financière à *Fun de siècle*, je crois que je vais respecter une vieille superstition théâtrale qui veut que tout spectacle dans lequel Franz Kafka asperge la scène de sable et danse des claquettes représente un trop grand risque.

Ainsi mangeait Zarathoustra

Rien ne vaut la découverte d'une œuvre inédite d'un grand penseur pour mettre en ébullition la communauté intellectuelle et provoquer chez les universitaires un émoi comparable à l'agitation visible dans une goutte d'eau observée au microscope. Lors d'un récent voyage à Heidelberg, où je m'étais rendu afin d'acquérir de précieuses cicatrices de duels datant du dix-neuvième siècle, je suis justement tombé sur un tel trésor. Qui eût cru qu'il existât un ouvrage tel que *Mes secrets minceur*, par Friedrich Nietzsche ? Si l'authenticité de l'ouvrage peut paraître douteuse, la plupart de ceux qui l'ont étudié s'accordent à dire qu'aucun autre philosophe occidental a été si près de réconcilier Platon et Montignac. Ci-dessous, quelques morceaux de choix.

*

La graisse est en soi une substance ou l'essence d'une substance, voire l'Idée de la substance de cette essence. Tout le problème, c'est quand elle commence à s'accumuler sur vos hanches. Parmi les présocratiques, Zénon considéra que ce poids était une illusion et que l'homme aurait beau manger tant qu'il voudrait, il ne serait jamais aussi gras que celui qui ne fait jamais de pompes le matin. La quête d'un corps idéal était une obsession chez les Athéniens. Dans une pièce d'Eschyle qui n'a pas été retrouvée, Clytemnestre rompt son vœu de jeûne entre les repas et s'arrache les yeux quand elle se rend compte qu'elle ne rentre plus dans son maillot de bain.

Il faudra attendre l'esprit d'Aristote pour que la question du poids soit formulée en termes scientifiques. Dans un premier fragment de l'*Éthique*, il établit que la circonférence d'un homme s'obtient en multipliant son tour de taille par *pi*. Ce concept fera autorité au Moyen Âge, jusqu'à ce que Thomas d'Aquin traduise bon nombre de menus en latin et que s'ouvre le premier bar à huîtres vraiment bon. À l'époque, l'Église voyait encore d'un mauvais œil les dîners au restaurant, et confier les clés de son auto à un voiturier était considéré comme un péché véniel.

Comme nous le savons, Rome a pendant des siècles considéré le sandwich braisé à la dinde sauce

hot comme le summum de la transgression ; de nom-
breux sandwichs ont pendant des siècles été privés
de sauce hot et n'ont eu droit de s'embraser à nouveau qu'après la Réforme. Les tableaux religieux du
quatorzième siècle représentaient initialement des
scènes de damnation où des individus en surcharge
pondérale erraient en enfer, condamnés à se nourrir
de salades et de yaourts. Les Espagnols se révélèrent
particulièrement cruels : pendant l'Inquisition, un
homme pouvait être condamné à mort pour avoir
farci des avocats avec des miettes de crabe.

Aucun philosophe n'a pu résoudre la question de la
culpabilité associée à la prise de poids, jusqu'à ce que
Descartes fasse la distinction entre l'esprit et le corps,
permettant au corps de se gaver tandis que l'esprit se
disait : « Je pense, donc c'est pas moi. » La grande
question philosophique subsiste : si la vie n'a pas de
sens, que faire de la soupe aux pâtes alphabet ? C'est
Leibniz qui le premier a affirmé que la graisse consistait en monades. Leibniz eut beau suivre un régime et
faire de l'exercice, il ne parvint jamais à se débarrasser
de ses monades – du moins pas de celles qui lui col-
laient aux cuisses. Spinoza en revanche, se nourrissait
frugalement car il était persuadé que Dieu existait en
toute chose, et il est intimidant de dévorer un *knish* si
on est persuadé de verser de la moutarde à la louche
sur la Cause Immanente de Toute Chose.

Existe-t-il une relation entre un régime alimentaire sain et le génie de la création ? Un simple coup d'œil au compositeur Richard Wagner suffit à voir qu'il a un sacré coup de fourchette. Frites, fromage grillé, *nachos* – fichtre, son appétit est sans limite, et pourtant sa musique est sublime. Cosima, sa femme, elle aussi aime la bonne chère, mais au moins elle fait son jogging quotidien. Dans une scène extraite de sa tétralogie du *Ring*, Siegfried décide d'aller dîner avec les jeunes filles du Rhin et s'enfile héroïquement un bœuf, deux douzaines de volailles, plusieurs roues de fromage et quinze fûts de bière. Là-dessus, la note arrive, et il n'a pas assez pour payer. La conclusion qui s'impose est que dans la vie on n'a droit qu'à un seul plat d'accompagnement : il faut choisir entre le coleslaw et la salade de pommes de terre. Le choix doit être fait dans la terreur, en sachant que non seulement notre temps sur cette planète est compté mais qu'en outre la plupart des cuisines ferment à vingt-deux heures.

La catastrophe existentielle, pour Schopenhauer, consistait moins dans le fait de manger que de se bâfrer. Il s'est répandu en insultes contre le vain grignotage de cacahuètes et de chips lorsqu'on est occupé à autre chose. Pour Schopenhauer, à partir du moment où l'humain commence à grignoter, il ne peut plus s'arrêter. Il en résulte un univers recouvert de miettes. Kant s'est bien fourvoyé lui aussi en avançant catégoriquement qu'il était impératif de commander notre déjeuner de telle manière que, si chacun demandait la même chose, le monde serait plus moral. Le problème que Kant n'a pas entrevu à l'époque est que si tout le monde commande la même chose, ça va barder en cuisine pour savoir qui aura la dernière part de *branzino*. « Commandez comme si vous commandiez pour n'importe quel être humain sur terre », conseille-t-il. Certes, mais que faire si la personne assise à côté de vous n'aime pas le *guacamole* ? En définitive, il n'existe pas de nourriture morale – sauf bien sûr l'œuf à la coque.

En résumé, hormis mes recettes personnelles – les crêpes Par-delà Bien et Mal et la vinaigrette Volonté de Puissance – de toutes les grandes recettes ayant eu un impact sur la pensée occidentale, celle du pâté au poulet de Hegel fut la première dans l'Histoire à utiliser des raisins. Les crevettes et légumes sautés de Spinoza seront appréciés autant des athées que des agnostiques, cependant que, pour ceux qui ont une faim de loup, les travers de porcs au barbecue – recette peu connue de Hobbes – reste encore à ce jour une énigme intellectuelle. Ce qui est remarquable avec *Mes recettes minceurs* de Nietzsche, c'est qu'une fois les kilos perdus, on ne les reprend pas – ce qui n'est pas le cas par exemple avec le *Tractatus theologico-feculentus* de Kant.

185

*

Petit déjeuner

Jus d'orange
2 tranches de bacon
Profiteroles
Palourdes en robe de chambre
Tartine grillée, tisane

Le jus de l'orange est la nature véritable de l'orange, son « inquiétante orangeté », ce qui fait que son goût diffère, disons, du saumon poché ou du gruau de maïs. Pour le croyant, l'idée de manger autre chose que des céréales au petit déjeuner provoque angoisse et désespoir, mais si Dieu est mort, alors tout est permis, et plus rien n'interdit les profiteroles et les palourdes, et même les ailes de poulet Buffalo, tant qu'on y est.

*

Déjeuner

Un bol de spaghettis sauce tomate basilic
Du pain blanc
Purée de pommes de terre
Sachertorte au chocolat

Le Fort aura toujours la puissante volonté de prendre un solide repas de midi, à base d'aliments riches, généreusement agrémentés de sauces bien grasses, tandis que le Faible chipotera chichement ses germes de blé et son tofu, convaincu que sa souffrance lui vaudra une récompense après la mort, où la grande mode est à la côtelette d'agneau grillée. Mais si, comme je l'affirme, la vie après la mort est un éternel retour de cette vie, alors le maigre est condamné à perpétuité aux aliments à faible teneur glucidique et au poulet bouilli sans la peau.

*

Dîner

Steak ou saucisses
Pommes de terre sautées
Langouste thermidor
Glace à la crème fouettée ou gâteau fourré

Voici un repas de surhomme. Que ceux que les triglycérides et autres graisses saturées effraient continuent de faire plaisir à leur pasteur ou à leur nutritionniste, mais le surhomme, lui, sait que la viande marbrée, les fromages crémeux et les desserts bien riches et, oh, oui, de la friture, plein de friture, sont des mets dignes de Dionysos – dommage qu'il ait des problèmes de reflux gastrique.

*

Quelques aphorismes

Avec l'épistémologie, c'est toute la controverse sur les régimes minceur qui est relancée.

Si rien n'existe ailleurs que dans mon esprit, non seulement je peux commander n'importe quoi, mais en plus le service sera impeccable.

L'homme est la seule créature capable de sucrer le pourboire d'un serveur.

MORTELLES PAPILLES, MA JOLIE

La cote de la truffe blanche, qui relève
moins de sa rareté que du pur snobisme, a
atteint de nouveaux sommets à Londres,
dimanche, où un lot d'un kilo cent quatre-
vingts grammes a été adjugé aux enchères
pour la modique somme de 110 000 dollars.
L'acheteur, dont l'identité n'a pas été
divulguée, est domicilié à Hong Kong.

New York Times, le 15 novembre 2005.

En tant que détective privé, je suis prêt à me faire
trouer la peau pour mes clients, mais il vous en
coûtera cinq cents plaques de l'heure, plus mes frais,
à savoir tout le Johnny Walker que je suis capable
d'écluser. Et pourtant, il y a des jours où je serais
presque tenté de marner pour des clopinettes ; quand
un petit lot comme April Fleshpot trimballe ses

phéromones jusqu'à mon bureau pour réclamer mes services, par exemple.

« J'ai besoin de votre aide », roucoula-t-elle en croisant les jambes sur le canapé.

Avec des bas de soie noirs comme ça, difficile de rester concentré.

« Je suis tout ouïe, répondis-je, convaincu que l'ironie subtilement sexuelle de ma réplique n'était pas tombée dans l'oreille d'une sourde.

— J'ai besoin que vous alliez chez Sotheby's et que vous participiez aux enchères pour moi. Naturellement, c'est moi qui régale. Mais il est important que je reste anonyme. »

Pour la première fois depuis qu'elle était entrée dans mon bureau je parvins à voir autre chose que sa chevelure blonde, ses lèvres pulpeuses et les deux zeppelins qui tiraient sur le tissu de son chemisier, à la limite de la déchirure. La môme avait la frousse.

« J'enchéris sur quoi ? lui demandai-je. Et pourquoi vous n'y allez-vous pas vous-même ?

— Une truffe, dit-elle en allumant une cigarette. Vous pouvez monter jusqu'à dix millions de dollars. Voire douze, si la bataille est serrée.

— Aaaah, fis-je en lui lançant le regard qui précède habituellement le coup de grelot aux urgences psychiatriques de l'hôpital Bellevue. Dites, vous devez en avoir rudement envie.

— Oh, pas de grossièretés, rétorqua-t-elle, mani-festement furax. Je double vos honoraires habituels. Seulement vous ne repartez pas de chez Sotheby's sans la truffe.

— Et supposez qu'au-delà de cinq millions de dollars, j'estime que ça fait un peu beaucoup pour un champignon, la titillai-je.

— Peut-être bien – et pourtant la truffe Bundini a été adjugée pour vingt millions ; le prix le plus élevé jamais atteint par un tubercule aux enchères. Évi-demment, elle appartenait à l'Aga Kahn et était d'un blanc immaculé. Ne me faites pas faux bond, parce que récemment je n'ai pas pu suivre sur un foie gras face à un magnat du pétrole texan : j'ai dû m'arrêter à sept millions ; il a emporté le morccau pour huit. Je venais juste de vendre deux Chagall pour mobili-ser des fonds.

— Je me souviens, j'ai vu ce foie gras dans le catalogue Christie's. M'a semblé que ça faisait une somme bien rondelette pour une portion copieuse comme un amuse-gueule. Enfin bon, si ça a pu ren-dre le pétrolier heureux.

— Ça lui a coûté la vie, lâcha-t-elle.

— Non !

— Si. Un comte de Roumanie qui aimait plus que tout le goût sublime du foie d'oie l'a suriné entre les omoplates pour lui croûter son pâté, dit-elle en allumant une nouvelle cigarette avec la précédente.

— Pas de bol, fis-je en la regardant fixement.

— N'empêche, il a été le dindon de la farce, dit-elle en riant. La petite gâterie ultra-riche en cholestérol était un faux. Le comte, dans un geste amoureux, avait déposé le foie gras aux pieds de la grande-duchesse d'Estonie. Mais quand celle-ci s'est aperçue que ce n'était en réalité que du pâté de foie, il s'est donné la mort.

— Et le foie gras véritable ? demandai-je.

— Jamais été retrouvé. Certains ont prétendu qu'il avait été boulotté à Cannes par un producteur hollywoodien. D'autres ont dit qu'un Égyptien du nom de Abou Hamid avait complètement perdu les pédales et se l'était injecté en intraveineuse. D'autres encore ont pensé qu'il était tombé entre les mains d'une ménagère de Flatbush ; persuadée que c'était de la pâtée pour chats, elle l'aurait donné à son matou. »

April ouvrit son sac à main, et me fit un chèque pour mes honoraires.

« Juste une chose, dis-je. Pourquoi est-ce que personne ne doit savoir que vous voulez la truffe ?

— Un réseau de gourmands originaires d'Istambul a infiltré nos frontières. Leur but ? Râper la truffe sur leur *fettucine*. Ils ne reculeront devant rien pour la récupérer. Une femme seule possédant un mets d'un tel raffinement serait immédiatement en danger de mort. »

J'en eus soudain froid dans le dos. La seule affaire de produit comestible de luxe que j'avais eue à traiter avait été relativement simple : une histoire de champignon Portabello. Un politicien en herbe l'avait précédemment accusé d'avoir eu un comportement déplacé, mais ses accusations s'étaient révélées non fondées. Ma mission, cette fois, consistait à rapporter la truffe au Waldorf, suite 1600. April m'y attendrait dans sa plus simple parure, m'annonça-t-elle sur un ton aguicheur, celle couleur peau que Dieu avait conçue pour elle.

Une fois qu'elle eut disparu dans l'ascenseur en faisant rouler son pétrousquin top-niveau, je passai deux coups de bigo, chez Fauchon et chez Fortnum & Mason. Les gérants me devaient bien ça ; je leur avais rendu un petit service, à l'époque, en réussissant à remettre la main sur six anchois d'une valeur inestimable qu'un dacoït leur avait dérobés.

Lorsqu'on m'eut affranchi sur le compte d'April Fleshpot, je sautai dans un taxi direction York Avenue. Chez Sotheby's, les enchères allaient bon train. Une quiche fut adjugée pour trois millions, une paire d'œufs à la coque assortis atteignirent les quatre millions et un hachis parmentier ayant appartenu au duc de Windsor fut vendu pour un montant de six millions de dollars. Lorsqu'on annonça la mise à prix de la truffe, un brouhaha parcourut la salle. Les enchères démarrèrent à cinq millions de dollars. Une fois que les caves eurent abandonné la partie, je me retrouvai embarqué dans un duel contre un gros lard coiffé d'un fez. À douze millions de dollars, le ventripotent se retira à son tour, visiblement dérouté. Une fois le kilo cent quatre-vingts de marchandise en ma possession, je le planquai dans une consigne automatique de la gare de Grand Central, puis filai rejoindre April au Waldorf.

« Vous avez la truffe ? demanda-t-elle en m'ouvrant, juste vêtue d'un peignoir en satin nonchalamment jeté sur son cytoplasme rudement bien fichu.

— Ne vous faites pas de bile, lui dis-je en lui balançant mon sourire de caïd. Mais est-ce qu'on ne devrait pas d'abord causer pèze ? »

La dernière chose dont je me souviens avant l'extinction des feux, c'est une collision entre le dessus de mon crâne et une masse genre cargaison de briques.

Quand je repris mes esprits, j'avais un gros calibre braqué sur le toquant – vous savez, la petite pompe chargée de la circulation sanguine qu'on a sous la cage thoracique. Pour mon plus grand divertissement, le poussah au fez de chez Sotheby's en chatouillait le cran de sûreté. April était assise sur le canapé, ses jolies pommettes plongées dans un Cuba libre.

« Eh bien, cher monsieur, venons-en à nos affaires, fit le dodu en posant sur la table une pomme de terre cuite au four.

— Quelles affaires ? fis-je en lui décochant un petit sourire narquois.

— Allons allons, cher monsieur, dit-il d'une voix sifflante. Vous comprenez certainement que nous ne discutons pas là d'un vulgaire ascomycète. Vous êtes en possession de la truffe de Mandalay. Il me la faut.

— Jamais entendu parler, dis-je. Oh... Attendez, n'est-ce pas justement l'arme qui a tué Harold Vanescu ? Vous savez, l'année dernière, dans son appartement de Park Avenue ?

— Ah ah, vous m'amusez, cher monsieur. Laissez-moi vous conter l'histoire de la truffe de Mandalay. L'empereur de Mandalay fut marié à l'une des femmes les plus grasses et les plus laides du pays. Après que Groing de Por eut décimé tous les cochons de Mandalay, il demanda à sa femme de bien vouloir fouir le sol pour déterrer les truffes. Et à l'instant où elle renifla cette truffe-là, sa valeur inestimable ne fit pas un doute. La truffe fut immédiatement vendue au gouvernement français et exposée au Louvre. Elle y resta jusqu'à ce que les soldats allemands s'en emparent, pendant la Seconde Guerre mondiale. On dit que Goering était sur le point de la savourer, mais que la nouvelle du suicide de Hitler lui coupa un peu l'appétit. Après la guerre, la truffe se volatilisa pour réapparaître au marché noir international, où un consortium en fit l'acquisition et la porta à DeBeers, à Amsterdam, dans l'espoir de la couper pour la refourguer en plusieurs lots.

— Elle est dans une consigne automatique de Grand Central, dis-je. Zigouillez-moi et vous n'aurez plus qu'à manger votre patate avec de la crème fraîche et de la ciboulette.

— Dites votre prix », me lança-t-il.

Pendant tout ce temps, April était passée dans l'autre pièce, et j'entendis qu'elle téléphonait à Tanger. Je crus l'entendre prononcer le mot « crêpes » – apparemment elle avait réussi à réunir la somme pour effectuer un premier versement en vue d'acquérir une crêpe exceptionnelle. Le seul problème était que pendant le transport de la marchandise jusqu'à Lisbonne, la garniture avait été échangée.

Un quart d'heure plus tard, après que j'eus donné mon prix, ma secrétaire apportait un colis d'un kilo cent quatre-vingts qu'elle déposait sur la table. Le mastodonte défit le paquet, les mains tremblantes, et coupa à l'aide de son canif une fine tranche afin de goûter. Soudain en larmes il se mit à poignarder la truffe comme un enragé.

« Mon Dieu, monsieur ! s'écria-t-il. C'est un faux ! Il s'agit certes d'une contrefaçon fort joliment ouvragée, dans laquelle on retrouve le goût caractéristique de noisette de notre truffe. Toutefois je crains fort que nous soyons en présence d'une boulette de pain azyme. »

La seconde d'après, il avait mis les bouts, me laissant seul avec la pépée qui n'en revenait pas. Oubliant son désarroi, April darda sur moi son regard bleu-vert de rayon laser.

« Je suis contente qu'il soit parti, dit-elle. À présent, il n'y a plus que toi et moi. Nous allons retrouver la truffe et nous nous la partagerons. Je ne serais pas étonnée qu'elle ait des vertus aphrodisiaques », ajouta-t-elle en laissant son peignoir s'entrouvrir.

J'étais à deux doigts de me livrer à cette absurde chorégraphie pour laquelle la nature programme notre sang. Mais mon instinct de conservation l'emporta.

« Navré, trésor, dis-je en reculant. J'ai pas l'intention de finir comme ton dernier mari, avec une étiquette à l'arpion, au frigo municipal.

— Quoi ? »

Son visage devint livide.

« Eh oui, ma cocotte. C'est toi qui as buté Harold Vanescu, le gastronome international. Pas besoin d'être un génie pour avoir pigé ça. »

Elle tenta de s'échapper. Je lui barrai le passage.

« D'accord, fit-elle, résignée. Je suppose que mon compte est bon. Oui, j'ai tué Vanescu. Nous nous étions rencontrés à Paris. J'avais commandé du caviar au restaurant, et je m'étais coupée sur la pointe d'un des toasts. Il a volé à mon secours. J'ai été impressionnée par le dédain qu'il affichait vis-à-vis des petits œufs rouges. Tout d'abord, ça a été merveilleux. Il m'a couverte de cadeaux ; asperges blanches de chez Cartier, une bouteille d'un balsamique de luxe, car il savait que j'aimais m'en tamponner les oreilles lorsque nous sortions. C'est Vanescu et moi qui avons dérobé la truffe de Mandalay au British Museum : accrochés à des cordes, suspendus la tête en bas, nous avons découpé la vitrine à l'aide d'un diamant. Moi, je voulais préparer une omelette à la truffe, mais Vanescu avait d'autres projets. Il voulait la refourguer et utiliser l'argent pour acheter une villa à Capri avec le fric. Au début, rien n'était trop beau pour moi. Puis je me suis rendu compte que les portions de beluga sur nos crackers commençaient à s'amenuiser. J'ai voulu savoir s'il avait des soucis en Bourse, mais il a dit que non. Bien vite, j'ai remarqué qu'il avait remplacé le beluga par du sevruga, et lorsque je l'ai accusé de tartiner les blinis d'Osetra, il s'est réfugié dans un silence irritable. Les restrictions de budget ont été de plus en plus draconiennes, il est devenu pingre. Un soir, en rentrant à la maison à l'improviste, je l'ai surpris en train de préparer des hors-d'œuvre avec du caviar de dipneuste. Une violente querelle a éclaté. Je lui ai annoncé que je demandais le divorce. Nous nous sommes disputés pour savoir qui aurait la garde de la truffe. Dans un élan de rage je me suis emparée de la truffe qui se trouvait sur le rebord de la cheminée, et je l'ai frappé avec. En tombant, il s'est cogné la tête contre un bonbon à la menthe. Pour me débarrasser de l'arme du crime, je l'ai jetée par la fenêtre dans un pick-up qui passait à ce moment-là. Depuis, je n'ai cessé de la chercher. Vanescu hors d'état de nuire, j'étais vraiment persuadée que j'allais pouvoir m'en mettre plein la lampe. Maintenant, nous pouvons nous associer pour la retrouver, et ensuite nous la partager, toi et moi. »

Je revois son corps contre le mien et ce baiser qui a fait jaillir un jet de vapeur de mes oreilles. Je revois aussi la trombine qu'elle a tirée quand je l'ai livrée à la Police de New York. J'ai poussé un soupir en reluquant sa carrosserie de compétition. Les flics l'ont menottée puis embarquée. Après ça, moi, j'ai filé au Carnegie Delicatessen Restaurant et j'ai commandé un pastrami sur tartine de seigle avec des cornichons et de la moutarde – l'étoffe dont les rêves sont faits, comme dit l'autre.

Dentiste mystérieux à Manhattan

Vingt ans à la brigade criminelle de la Police de New York et, mon vieux, plus rien ne vous étonne. Comme la fois où un agent de change a découpé en julienne sa petite loute qui refusait de lui passer la télécommande. Ou le cas du rabbin qui, suite à une déception amoureuse, a décidé d'en finir : il a saupoudré sa barbe d'anthrax et a reniflé un bon coup. Lorsqu'on nous a signalé qu'un cadavre avait été retrouvé sur Riverside Drive, à l'angle de la Quatre-vingt-troisième Rue, sans impact de balle sur le corps, ni la moindre blessure de poignard, ni même une trace de bagarre, je me suis bien gardé de penser qu'on nageait en plein film noir. J'ai préféré en conclure qu'il s'agissait de l'une des mille tortures naturelles qui, selon le chantre d'Avon, sont le legs de la chair. Par contre, ne me demandez pas laquelle.

Mais lorsqu'un autre macchabée est apparu à Soho deux jours plus tard, également dépourvu de toute trace de violence, puis un troisième à Central Park, alors là j'ai sorti la Dexedrine et annoncé à ma moitié que, pendant un certain temps, j'allais travailler tard le soir.

« C'est incroyable ! » s'est exclamé mon collègue Mike Sweeney en délimitant la scène du crime à l'aide des traditionnelles bandes jaunes.

Mike est un vrai nounours. Il pourrait vraiment passer pour un ours. Il a d'ailleurs été contacté par des zoos pour faire des remplacements lorsque l'ours titulaire est en congé maladie.

« La presse à scandale affirme que c'est un tueur en série, a-t-il ajouté. Évidemment, les tueurs en série se plaignent d'être toujours les premiers incriminés dès que trois ou quatre victimes sont tuées de la même façon. Ils souhaiteraient que ce nombre soit porté à six.

— Je ne vais pas y aller par quatre chemins, Mike. Pour moi, c'est du jamais-vu. Or tu sais que c'est quand même moi qui ai pincé le Tueur astrologue. »

Le Tueur astrologue était un taré qui aimait s'approcher sur la pointe des pieds des gens qui jodlaient façon tyrolienne pour leur défoncer le crâne. Ça n'avait pas été du gâteau de le coincer parce que la population dans son ensemble s'était montrée assez peu coopérative.

J'ai dit à Mike de m'appeler s'il trouvait des indices croustillants, et j'ai filé à la morgue afin d'interroger le coroner Sam Dogstatter sur un éventuel empoisonnement. Sam et moi, ça fait un bail qu'on se connaît, ça remonte à l'époque où il débutait en tant que jeune légiste. En ce temps-là, il réalisait des autopsies publiques aux mariages ou aux fêtes anniversaires d'adolescents pour se payer ses cigarettes.

« J'ai tout d'abord cru que ça pouvait être une minuscule fléchette, a déclaré Sam. J'ai essayé d'enquêter auprès de tous les propriétaires de sarbacanes de New York, mais la tâche s'est avérée insurmontable. On ne se rend pas bien compte, la moitié des New Yorkais possèdent ces grands tubes jivaros de deux mètres de long, et la plupart sont titulaires d'un permis. »

J'ai évoqué l'éventualité d'une ingestion d'amanite tue-mouche, qui peut tuer sans laisser la moindre trace, mais Sam a secoué la tête.

« Il n'y avait qu'un seul magasin bio où on pouvait trouver des champignons vraiment vénéneux, mais la vente a été suspendue il y a plusieurs années quand on a appris qu'ils n'étaient pas issus de l'agriculture biologique. »

J'ai remercié Sam et passé un coup de fil à Lou Watson. Lou était tout excité, car il avait trouvé sur la scène du crime d'excellentes empreintes digitales, qu'il transmettait illico à un autre commissariat en échange d'un coffret rare du ténor Enrico Caruso. Watson a annoncé que le labo avait trouvé un cheveu. Et aussi un bout de cuir chevelu dégarni. Le cheveu appartenait malheureusement à un gamin de huit ans. La surface chauve en revanche faisait porter les soupçons sur neuf hommes qui avaient été au premier rang d'une séance de strip-tease. Sauf qu'ils avaient tous des alibis en béton armé.

De retour au QG, j'ai taillé le bout de gras avec Ben Rogers, mon mentor, l'homme qui avait résolu la célèbre affaire du meurtre du restaurant yuppie : une fois abattues, les victimes avaient été aspergées d'un filet de citron vert puis recouvertes d'un tapis de menthe fraîche. Ben avait attendu que l'assassin se trouve à court de menthe fraîche et soit obligé de recourir à des noix hachées menues, lesquelles étaient traçables grâce à leurs numéros de série.

« Parle-moi des victimes, j'ai dit. À ta connaissance, elles avaient des ennemis ?

— Bien sûr qu'elles avaient des ennemis, a répondu Ben. Mais ils étaient tous au club Mar-A-Lago de Palm Beach. C'est là que se tenait le Grand Congrès des Ennemis, et pratiquement tous les ennemis de la Côte Est y ont assisté. »

Je venais juste de quitter Ben pour aller me chercher un sandwich lorsque j'ai appris qu'un autre macchab' encore chaud venait d'être trouvé dans une benne à ordures de la Soixante-douzième Rue Est.

Le corps apparemment indemne était celui de Ricky Weems, un jeune acteur spécialisé dans les rôles de rebelles sensibles. Il était la vedette d'une série médicale à l'eau de rose intitulée *Alerte en salle d'op'*. Si ce n'est que cette fois-ci, une femme sans domicile fixe avait été témoin de la scène. Wanda Bushkin, après avoir longtemps dormi dans un carton du Lower East Side, avait récemment emménagé dans les beaux quartiers : elle résidait à présent dans un spacieux carton de Park Avenue. Elle avait initialement craint de ne pas être choisie par la copropriété. Mais dès qu'elle avait pu prouver que ses revenus nets quotidiens étaient supérieurs à quatre dollars et trente cents, elle avait obtenu un des meilleurs emplacements.

La nuit en question, Bushkin n'arrivait pas à trouver le sommeil. Elle avait aperçu un homme au volant d'un Hummer rouge, qui s'était débarrassé du corps avant de disparaître sur les chapeaux de roue. Elle n'avait tout d'abord pas voulu être mêlée à tout ça. Elle avait en effet vécu une expérience similaire qui lui avait laissé un mauvais souvenir : un criminel qu'elle avait identifié et qui avait ensuite rompu ses fiançailles avec elle. Cette fois-ci, elle a décrit le suspect de manière à ce que notre dessinateur, Howard Inchcape, puisse réaliser un portrait-robot. Mais Inchcape a piqué une crise et refusé de prendre son crayon de papier tant que le suspect ne viendrait pas en personne poser pour lui.

J'essayais de ramener Inchcape à la raison, lorsque j'ai soudain repensé au parapsychologue B. J. Sygmnd. Sygmnd était un modeste Autrichien qui avait perdu pratiquement toutes les voyelles de son nom lors d'un accident de bateau. En 1993, j'avais eu recours aux services de Sygmnd pour retrouver un monte-en-l'air, qu'il avait assez miraculeusement identifié parmi presque une centaine d'as de la cambriole. Je l'ai observé qui flairait les objets ayant appartenu à la victime, jusqu'à entrer dans une sorte de transe. Ses yeux se sont écarquillés et il s'est mis à parler de la même voix que Toshiro Mifune, l'acteur fétiche de Kurosawa. Le type que je recherchais, a-t-il déclaré, utilisait de la novocaïne et se servait d'une roulette pour les molaires et les prémolaires. Sygmnd pourrait peut-être même identifier la profession exercée par notre homme, mais pour cela il avait besoin de sa planche oui-ja de divination.

Une brève recherche sur ordinateur m'a permis de vérifier que toutes les victimes étaient des patients du même dentiste. Là, j'ai compris que je tenais le bon bout. Alors je me suis anesthésié avec quatre doigts de Johnnie Walker, et à l'aide de mon couteau suisse j'ai arraché l'amalgame en argent de ma deuxième molaire inférieure gauche. Le lendemain matin, j'étais installé bouche ouverte chez le dentiste Paul W. Pinchuck.

« Il ne va pas y en avoir pour cent sept ans, a-t-il dit. Encore que, si vous n'êtes pas trop pressé, il faudrait aussi que je m'occupe de la dent d'à côté. Je suis étonné qu'elle ne vous fasse pas mal. De toute façon, vous ne manquez pas grand-chose aujourd'hui. Vous avez vu ce temps ? Incroyable. En avril, les précipitations ont atteint un niveau record. C'est le réchauffement de la planète. Beaucoup trop de gens utilisent la climatisation. Moi je n'en ai pas besoin. Là où on habite, on dort la fenêtre ouverte, même au plus chaud de l'année. C'est grâce à ça que j'ai un bon métabolisme. Pareil pour ma femme. Nos corps s'adaptent bien aux variations météo. Il faut dire que nous faisons très attention à ce que nous mangeons. Pas de viande trop grasse, pas trop de laitages – et puis je fais du sport. Je préfère courir à la maison, sur mon *tapis*. Miriam aime le Stairmaster. On apprécie la nage. On a une maison à Sagaponack. Miriam et moi commençons habituellement à passer nos week-ends dans les Hamptons dès début avril. On adore Sagaponack. Si vous voulez vous faire des amis sur place, pas de problème, mais vous pouvez aussi rester tranquillement dans votre coin. Moi je suis plutôt casanier. Nous aimons lire, principalement, et elle pratique l'origami. Avant, on avait une maison à Tappan. Il y a plusieurs itinéraires

pour s'y rendre mais habituellement je prenais la 95.
Une demi-heure de route. Mais on préfère la plage.
On vient juste de refaire le toit. Quand on m'a dit à
combien s'élevait le devis, je n'y ai pas cru. Bon
sang, ces entrepreneurs, j'aime autant vous dire
qu'ils ne vous loupent pas. Enfin bon, vous me direz,
c'est comme tout – si on veut de la qualité, il faut
mettre le prix. Je dis toujours à mes enfants que les
bonnes affaires, ça n'existe pas, dans la vie. Pas de
repas gratuits. On a trois garçons. On fête la bar-
mitsva de Seth au mois de juin. »

J'ai commencé à suffoquer. J'ai essayé d'avaler
une goulée d'air tandis que la roulette de Pinchuck
attaquait l'émail. J'ai senti les premiers symptômes
de la dyspnée de Cheynes-Stokes. Je perdais de ma
vitalité. J'ai compris que j'étais en danger quand
ma vie a commencé à défiler devant mes yeux. Surtout quand j'ai vu que le rôle de mon père était joué
par le travesti Dame Edna.

Quatre jours plus tard je me suis réveillé au service des soins intensifs à l'hôpital Columbia-
Presbyterian.

« Dieu soit loué, tu es fort comme un roc, a fait
Mike Sweeney en se penchant au-dessus de mon lit.

— Qu'est-ce qui s'est passé ? lui ai-je demandé.

— Tu as eu beaucoup de chance, a dit Mike. Juste
au moment où tu perdais conscience, une certaine
Mme Fay Noseworthy a débarqué dans le cabinet de

Pinchuck pour une urgence dentaire. Un cas typique de UFDEE – Utilisation de Fil Dentaire en état d'Ébriété. Apparemment ses couronnes temporaires se sont déchaussées et elle les a avalées. Quand tu es tombé par terre elle a commencé à hurler. Pinchuck a paniqué, il a essayé de se faire la belle. Heureusement un escadron du Groupement d'Intervention de la Police est arrivé juste à temps.

— Pinchuck, s'échapper ? Mais il m'a semblé être un dentiste tout ce qu'il y a de plus normal. Il s'est occupé de ma dent en bavardant.

— Pour le moment, repose-toi, a dit Mike en me servant son sourire de Joconde qui, selon Sotheby's, serait un faux. Je t'expliquerai tout ça quand tu seras sur pied. »

Au cas où vous vous demanderiez où nous mène cette petite histoire d'homicide, continuez à éplucher les dernières pages des journaux de la région d'Albany. Une loi dite « de Pinchuck » va en effet y être incessamment votée, qui interdira à tout dentiste de mettre en danger la vie de son patient en se livrant à des bavardages intempestifs, et plus généralement l'empêchera de prononcer autre chose que « ouvrez bien grand » et « Allez-y, rincez » sans ordonnance préalable du tribunal.

ATTENTION, CHUTE DE NABAB

Alors que j'épluchais fiévreusement le programme des sorties en salle du *Times,* en quête d'une éventuelle gâterie cinématographique qui m'aiderait à supporter l'été caniculaire et les relevés barométriques typiques d'un mois d'août dans le comté de Yoknapatawpha, le sort voulut que je tombe sur une petite curiosité intitulée *The Kid Stays in the Picture.* Ce documentaire relatait avec une pointe de nostalgie l'ascension fulgurante d'un jeune prince charmant qui, parti d'un rôle mineur de matador, prenait le taureau par les cornes et devenait un grand patron des studios hollywoodiens, avant de succomber aux banderilles de l'ambition aveugle, aux déboires conjugaux et à l'intempestive saisie, à son domicile, par les autorités, de quantités prodigieuses de friandises en poudre à sniffer. Bouleversé par cette tragédie euripidienne, j'échappai cette nuit-là au sommeil pour rédiger un scénario sur le thème de la folie des grandeurs à Hollywood – un manuscrit qui promet d'être un événement artistique et commercial à la hauteur de *Howard le canard.* En voici quelques scènes.

Gros plan sur un stand de restauration à emporter, dans le West Side de Manhattan. Un pèlerin à la mine de chien battu, la cinquantaine, dont le visage prématurément vieilli dit avec éloquence les souffrances infligées par les caprices du destin, sert des hot-dogs et des boissons exotiques. Il s'appelle Mike Umlaut et se parle à voix basse tout en préparant une piña colada sous l'œil impitoyable de son patron, M. Ectopic.

Umlaut : Que les saints me protègent ! Dire que moi, Mike Umlaut, naguère P-DG d'une usine à rêves qui engrangeait des bénéfices au rythme frénétique d'une machine à sous, en suis à présent réduit à servir des boissons tropicales pour becqueter.

Ectopic : On se dépêche, Umlaut. Y a un client qui réclame son beignet de saucisse.

Umlaut : Tout de suite, chef. Je tranche juste la papaye de manière à ce qu'elle conserve toutes ses vitamines. (*Puis, à lui-même, tout en allant chercher un beignet de saucisse pour un môme de huit ans qui s'impatiente :*) Quelle ironie, moi qui ai commencé dans la restauration, de savoir que je vais y finir mes jours.

(*Mouvement tremblé de la caméra, flash-back, nous voilà à l'époque du premier boulot de Umlaut, lorsqu'il s'occupait du* buffet *sur le tournage de* La Vie rêvée des castors, *une épopée tournée à deux pas des studios Paramount. Travelling avant sur le buffet, devant lequel nous retrouvons Harris Eppis, le producteur, indécis devant l'étalage de victuailles.*)

EPPIS (*à Moribund, son assistant qui cède à tous ses caprices*) : Que faire ? J'ai deux ans de retard sur un tournage qui devait durer huit semaines, et mon acteur principal, Roy Reflux, se fait arrêter chez Gap pour usage frauduleux d'une cabine d'essayage. Pas étonnant que j'aie un ulcère gros comme un pancake. Garçon (*dit-il en s'adressant au traiteur*), un café noir et un petit pain aux raisins et à la cannelle.

MORIBUND : Il va falloir se passer de lui, H.E. Du moins jusqu'à ce qu'il soit, une fois de plus, libéré sur parole. Ça va nous coûter bonbon, mais vous saviez en signant le contrat que Reflux n'était pas un type facile.

UMLAUT : Excusez-moi, monsieur, d'intervenir alors qu'on ne m'a pas sonné, mais je n'ai pu m'empêcher d'entendre votre complainte. Pourquoi ne pas réécrire le scénario en supprimant son rôle ?

EPPIS : Quoi ? Qui a dit ça ? Ma cochlée me joue-t-elle des tours ? Est-ce bien le larbin du buffet ?

UMLAUT : Réfléchissez, monsieur. Son personnage, quoique amusant, n'est pas essentiel. Il suffit de serrer un peu la vis au scénariste, et il pourra astucieusement remanier le scénario pour vous affranchir à jamais de ce pot de colle de Reflux, que vous payez au demeurant bien trop grassement, si l'on en croit l'avis éclairé de *Variety*.

EPPIS : Je parierais qu'il a raison. Ce microbe vient de m'ouvrir les yeux. C'est qu'il est fute-fute, le fripon, et manifestement sa science ne se cantonne pas aux *schnecken*.

UMLAUT : À propos, je vous dis ça comme ça, mais à votre place, avec un ulcère, je ne prendrais ni café noir ni viennoiserie. Trop de caféine dans l'un et bien trop de cannelle dans l'autre. Laissez-moi vous préparer deux œufs à la coque, ça passera beaucoup mieux.

EPPIS : Le savoir de cet homme aux multiples talents est-il donc sans limites ? Mon garçon, un type comme toi mérite un poste à responsabilités. Je te nomme à la tête de Bubonic Studios.

(*Fondu enchaîné sur une projection en avant-première au Grauman's Chinese Theater. La formule « Un an plus tard » apparaît sur fond d'attroupement de pipoles tirés à quatre épingles qui se pressent dans le hall. Un parterre de grands pontes de l'industrie et de superstars se livrent à un concours d'insincères amabilités avec des agents, des réalisateurs et de ravissants jeunes gens qui rêvent de faire du cinéma. La caméra descend le long du chandelier, à la Hitchcock ; gros plan sur les mains tremblantes de Mike Umlaut, en pleine discussion à voix basse avec son nouvel agent Jasper Nutmeat.*)

NUTMEAT : Du calme, bonhomme. Je ne t'ai jamais vu si tendu.

UMLAUT : Il y a de quoi, non ? Mon premier film en tant que producteur. Si *Et vint le jour de l'endocrinologue* se rétame, je suis mort. Cinquante millions pompés dans les caisses du studio pour un placement direct au fond de la cuvette.

NUTMEAT : Il faut que tu suives ton intuition, mon grand. Tu as senti que l'Amérique était prête pour un film sur les glandes.

UMLAUT : J'ai misé tout mon avenir dessus. Mais qu'est-ce que je vais devenir, Nutmeat ? Je suis un rêveur, moi.

(*Une voix de velours vient mettre un terme à la rêverie d'Umlaut.*)

PAULA : Et moi j'aimerais qu'on m'offre une chance de faire en sorte que vos rêves deviennent réalité.

(*Umlaut tourne vivement la tête. Gros plan sur une créature blonde de vingt et quelques années, manifestement descendue de l'Olympe en passant par chez Hugh Hefner.*)

UMLAUT : Hein ? Qui es-tu, ô toi amalgame protoplasmique aléatoire ?

PAULA : Paula Pessary. Je ne suis pour l'instant qu'une starlette, mais avec un petit coup de pouce j'arriverai à conquérir le cœur de millions de téléspectateurs.

UMLAUT : Et moi je vais tout faire pour te le donner, ce petit coup de pouce.

PAULA (*lui effleurant la joue*) : Je vous promets, je suis experte dans l'art de manifester ma gratitude.

(*Le nœud papillon d'Umlaut se met à tourner sur lui-même comme une hélice.*)

UMLAUT : J'ai l'intention de t'épouser et de faire de toi l'étoile la plus étincelante au firmament, y compris Canis Major, la constellation du Grand Chien.

PAULA : Mike Umlaut, convoler en justes noces ? Tout le monde sait qu'en bon futur Irving Thalberg, vous vous montrez en boîte de nuit chaque soir avec une poulette différente.

UMLAUT : Jusqu'à ce soir. Mais aujourd'hui, la terre a tremblé pour moi.

NUTMEAT (*qui passe en coup de vent*) : Les premières critiques sont tombées. Le film va faire un tabac. Tu n'auras plus jamais à rappeler qui que ce soit !

(*Extérieur, plan d'ensemble des Bubonic Studios. Intérieur, gros plan sur le nouveau grand chef : Mike Umlaut. Il est installé dans son bureau aux murs constellés de Warhol et de Stella, plus un ou deux Fra Angelico qui témoignent de l'éclectisme de ses goûts. Il est entouré d'un cortège de sbires et de grouillots. Nutmeat, désormais vice-président, est là, aux côtés de*

Arvide Mite et Tobias Gelding, deux hommes d'affaires incontournables qui multiplient les transactions avec les Studios. Une deuxième scène défile simultanément à l'écran : Umlaut hurle des ordres à Mlle Onus, sa secrétaire manifestement submergée.)

UMLAUT : Appelez-moi Wolfram Ficus, dites-lui que je lui envoie un exemplaire de *De si jolies cocottes*. Dites-lui de lire le rôle de Yount le pharmacien. Qu'on prépare mon jet privé : il y a une projection d'*Embaumeur malgré lui*, en avant-première à Seattle. Que l'avion-taxi atterrisse sur Rodeo Drive et passe me prendre devant Spago après le déjeuner.

GELDING : M.U., les chiffres du week-end viennent d'arriver. *Gerbilles et gitans* a battu tous les records au Music Hall.

MITE : Comme pour *L'Apprentissage du toréador mutilé*. Tout ce que vous touchez se transforme en platine.

UMLAUT : Dites, les gars, y en a-t-il un parmi vous qui aurait lu l'*Épopée de Gilgamesh* ?

(*Ils opinent tous deux avec enthousiasme.*)

NUTMEAT : La bible babylonienne ? Bien sûr, plusieurs fois, pourquoi ?

UMLAUT : Je ne dirai que deux mots : comédie musicale.

NUTMEAT (*profondément respectueux*) : *Only you. Only you...*

(Paula Pessary, entre-temps devenue Mme Umlaut, fait irruption dans la pièce dans une robe Versace moulante qui épouse sa silhouette voluptueuse comme la chapelure une escalope panée.)

PAULA : On vient de recevoir les premières critiques de *Péristaltisme inversé*. On dit que je suis la Garbo de ma génération et toi le Svengali ténébreux qui tire les ficelles.

(Umlaut sort un diadème de sa poche et le lui pose sur la tête. Ils s'embrassent.)

GELDING : C'est quelque chose, tout de même, l'amour. Regarde-moi ce couple qui suit sa destinée plaquée or. Alors que les cyclones et la famine déferlent sur le monde, ils vont à travers vents et marées, s'abreuvant d'amour et de fraîche.

(Fondu enchaîné sur le tournage d'un film en Australie, à Coonabarabran. Le réalisateur Lippo Sheigitz s'en prend violemment à Umlaut.)

SHEIGITZ : Espèce de fourbillon ! Ça devait être mon film ! J'étais censé avoir un contrôle artistique total.

UMLAUT : On ne va pas chipoter pour quelques phrases.

SHEIGITZ : Quelques phrases ? Le violoniste aveugle est devenu un nageur de combat des Forces spéciales !

UMLAUT : Ça donne un peu de vigueur au propos. Écoutez, Sheigitz, vous savez bien que je ne suis pas de ces ronds-de-cuir passifs qui ne s'intéressent qu'aux chiffres. Je me retrousse les manches, moi, je m'implique dans le processus de création. À propos, laissez tomber Mozart, j'ai décidé qu'on prendrait du rock pour la bande-son. J'ai engagé le groupe Epicac pour la musique.

SHEIGITZ (*se précipite sur Umlaut en brandissant une binette trouvée dans le coffre à accessoires*) : Je vais vous étriper, ça vous apprendra à vous mêler de ce qui ne vous regarde pas, espèce de malotru ! Goujat !

(*Des gardes se précipitent pour emmener Sheigitz.*)

NUTMEAT : Pas d'inquiétude, M.U. On va le remplacer *toot sweet* par un tisseur de rêves plus malléable. Ce n'est pas ce qui manque dans cette ville. Dis, pourquoi tu tires cette trombine ? Tu ne vas tout de même pas te laisser contrarier par un zozo qui se réclame du cinéma d'auteur ?

UMLAUT : Ce n'est pas ça. Le problème, c'est Paula, ma femme.

NUTMEAT : Ah. Oh, que se passe-t-il, M.U. ?

UMLAUT : Elle a une aventure avec la vedette masculine, tu sais, son partenaire à la scène, Agamemnon Wurst. Et comment pourrais-je lui en vouloir ? Je suis accaparé par mon travail, j'ai fermé les yeux quand elle est partie tourner à Paris avec le beau gosse n° 1 du box-office américain. Sauf que le tournage s'est fini il y a deux ans, et qu'ils sont encore sur place. Pas besoin d'être devin pour reconstituer le puzzle.

NUTMEAT : Ce bouffon ? Il suffit que tu passes un seul coup de fil, et sa carrière est terminée.

UMLAUT : Non, je préfère garder la tête haute. Je leur souhaite bon vent. C'est amusant, il n'y a pas si longtemps nous nous sommes promis l'amour éternel, et aujourd'hui elle refuse de me dire où elle a caché les clés de la voiture.

(*Plan de l'hélicoptère en train d'atterrir. Arvide Mite tout excité rejoint Umlaut en courant.*)

MITE : les chiffres sont impressionnants ! Quels résultats, dites donc ! Le remake de *Love Tsimmes* cartonne au box-office. M.U., vous pourriez filmer l'annuaire de L.A., ce serait un succès.

NUTMEAT : Qu'est-ce que c'est que ce regard halluciné, M.U. ? Je n'avais encore jamais vu ce genre d'étincelle dans tes yeux. Sans parler du sourire en coin à la Docteur Jeckyll et Mister Hyde. J'espère que tu ne cours pas trop de lièvres à la fois.

(*Très bref intermède musical. Six mois plus tard. Sur la propriété d'Umlaut à Holmby Hills. Les murs de son bureau sont parsemés de Rauschenberg et de Johns, avec discret saupoudrage de Vermeer, en subtil contrepoint à la modernité. Nutmeat tâche de consoler Umlaut tandis qu'une demi-douzaine de déménageurs décrochent les tableaux et récupèrent tous ses biens.*)

NUTMEAT : Je ne t'avais pas dit de lever un peu le pied ? Je ne me suis pas évertué à te répéter qu'il ne fallait surtout pas que tu te laisses dévorer par l'ambition ? Je ne t'ai pas maintes fois cité l'exemple d'Icare ?

UMLAUT : Oui, mais...

NUTMEAT : Il n'y a pas de mais. C'était une façon de parler, quand Arvide Mite a dit que tu ferais un carton en filmant l'annuaire. Seul un crétin ou un mégalomane aurait essayé de relever un tel défi. Surtout les Pages Jaunes.

UMLAUT : Bon sang, qu'est-ce qui m'a pris ?

NUTMEAT : Tu as dilapidé un budget record de deux cents millions de dollars pour tourner une bouse qui a fait un flop monumental. Et je ne crois pas que tu puisses en vouloir au conseil d'administration d'Amalgamated Sushi d'avoir exigé ta démission. Le conglomérat japonais va être obligé d'en vendre, des limandes à queue jaune, pour rentrer dans ses frais.

(*Alors qu'on enlève le dernier meuble, Umlaut est appréhendé par le shérif local qui l'emmène par une allée de service, tandis qu'une famille de Bédouins s'installe sur la propriété. Retour au présent, Umlaut se dépêche de servir des nectars d'orange à six ouvriers du bâtiment. Une voiture se gare sur le trottoir. Nestor Weakfish, l'avocat d'Umlaut, en sort et brandit un document.*)

WEAKFISH : Foin de baratin. Tout s'est arrangé. Notre demande d'indemnités auprès d'Amalgamated Sushi a pris des années, mais nous avons fini par avoir gain de cause, nous allons palper de la thune, je t'en fiche mon billet.

UMLAUT : Vous voulez dire que le studio ne s'oppose plus à la clause de « golden parachute » ?

WEAKFISH : Tout juste Auguste. Conformément à ce qui était initialement stipulé, la rupture de contrat leur a coûté un max, prends l'oseille et tire-toi : six cents millions, par ici la bonne soupe. Mon gars, vous avez obtenu réparation, on va s'en mettre plein la lampe !

UMLAUT (*arrache son tablier*) : Je suis riche ! Six cents millions ! Je peux racheter toute cette chaîne de hot-dogs et virer M. Ectopic sur-le-champ. Je peux racheter ma maison, mon avion, mes Vermeer !

WEAKFISH : Hé, un petit instant – nous avons gagné contre un conglomérat de sushi. Quand je dis six cents millions, je parle bel et bien de feuilles d'oseille bien fraîche.

(*Weakfish montre alors un immense camion réfrigéré. Des gars commencent à décharger l'indemnité de Umlaut : des tonnes d'oseille. Il se retourne vers Weakfish, qui se pourlèche déjà les babines en pensant déjà chiffonnade, purée, galantine. La caméra montée sur une grue s'élève, et l'on voit la scène de très haut, en hommage au plan d'*Autant en emporte le vent *où Scarlett erre au milieu des Confédérés blessés. Fondu au noir.*)

STYLO À GAGES

On a dit de Dostoïevski qu'il avait écrit pour l'argent afin d'assouvir sa passion pour les tables de roulette de Saint-Pétersbourg. Faulkner et Fitzgerald ont, eux aussi, mis leur talent au service d'ex-vauriens devenus nababs, qui faisaient venir des scribes dans l'Éden de la Côte Ouest, afin qu'ils leur concoctent des rêvasseries commerciales. Apocryphe ou pas, la coutume lénifiante, qui veut que des génies hypothèquent provisoirement leur intégrité, a ricoché dans mon cortex, il y a quelques mois, quand le téléphone a sonné. J'errais alors dans mon appartement, occupé à supplier ma muse de me souffler le thème du grand livre qu'il me faudra écrire un jour.

« Mealworm ? mugit au bout du fil la voix d'un type dont les lèvres entouraient à l'évidence un havane.

— Oui, c'est Flanders Mealworm à l'appareil. À qui ai-je l'honneur ?

— E. Coli Biggs. Ce nom vous dit quelque chose ?

— Euh – eh bien à vrai dire, non.

— Peu importe. Je suis producteur de cinéma – et un grand. Bon sang, vous ne lisez donc pas *Variety* ? C'est moi qui ai produit le film n° 1 au box-office en Guinée-Bissau.

— À la vérité, mon domaine de prédilection est plutôt la littérature, avouai-je.

— Ouais. Je sais. J'ai lu vos *Chroniques Hockfleisch*. C'est rapport à ça que je voudrais qu'on discute un brin. Soyez au Carlyle Hotel aujourd'hui à trois heures et demie. Suite présidentielle. Je me suis fait enregistrer à la réception sous le nom de George Guttersnipe, pour éviter d'être assailli par les scénaristes du coin.

— Comment avez-vous obtenu mon numéro ? demandai-je. Je suis sur liste rouge.

— Sur Internet. Je l'ai trouvé sur le même site que les résultats de votre coloscopie. Soyez à l'heure, Duschmol, et d'ici peu, vous et moi on va ramasser les gros biftons à la pelle. »

Sur ce, il raccrocha le combiné assez violemment pour que mes trompes d'Eustache exécutent un double salto arrière.

Il n'était pas aberrant que le nom de E. Coli Biggs n'évoque rien de spécial pour moi. Comme je l'avais clairement signifié à mon interlocuteur, ma vie

consistait moins en un glorieux tourbillon de festi-
vals et de starlettes qu'en cette routine austère qui
sied au barde entièrement dévoué à son art. Au fil
des ans j'avais pondu plusieurs romans non publiés
traitant de grands sujets philosophiques, avant d'être
finalement découvert par les éditions Badegamm.
Mon livre, qui met en scène un mime face à Dieu,
dans une confrontation au cours de laquelle ni l'un
ni l'autre ne pipe mot pendant six cents pages, possé-
dait un mordant qui avait manifestement fait grincer
des dents de l'establishment. Cependant je suis
convaincu, aujourd'hui encore, que le critique du
Times qui l'avait qualifié de « déchet littéraire » était
totalement passé à côté de mon propos. Je me consi-
dérais comme un auteur émergent, refusant tout
compromis, aussi n'étais-je pas certain de vouloir me
précipiter au Carlyle pour mettre mon talent au service de je ne sais quel béotien d'Hollywood. L'idée
qu'il puisse imaginer acheter mon inspiration pour
que je lui écrive un scénario me répugnait au plus
haut point, mais en même temps piquait ma curiosité
et flattait mon ego. Après tout, si les géniteurs de
chefs-d'œuvre comme *Gatsby le magnifique* et
Le Bruit et la Fureur avaient réussi à mettre du
beurre dans leurs épinards grâce à une grosse huile
de la Côte Ouest avide de prestige, pourquoi pas le
fiston chéri à sa maman Mealworm ? Je ne doutais
pas un instant que mon art de camper une ambiance

et d'imposer en quelques mots des personnages plus vrais que nature ferait des étincelles, comparé aux histoires soporifiques laborieusement troussées par les plumitifs des grands studios. Après tout, je n'avais aucune objection à ce qu'une statuette d'or remplace, sur la tablette de ma cheminée, l'oiseau-buveur en plastique qui, pour l'instant, répétait à l'infini son mouvement de balancier. La perspective de m'écarter brièvement de ce que j'écrivais pour amasser un pécule qui me permettrait d'écrire mon *Guerre et paix* ou mon *Madame Bovary* n'était finalement pas si déraisonnable.

Et c'est ainsi que, vêtu de la modeste tenue de l'écrivain – veste en tweed aux coudes reprisés et casquette Connemara – je montai jusqu'à la suite présidentielle du Carlyle Hotel pour mon rendez-vous avec le titan autoproclamé E. Coli Biggs.

Biggs était un personnage replet dont la chevelure ne pouvait provenir que d'une commande express au 36-15 Postiche. Un assortiment de tics se succédaient sur son visage en une série imprévisible de contractions courtes et longues, dignes d'un interminable message en morse. Vêtu d'un pyjama et d'un peignoir en tissu éponge du Carlyle, il était accompagné d'une blonde au châssis splendide, qui lui servait à la fois de secrétaire et de masseuse – la créature avait apparemment mis au point un procédé bête comme chou pour lui déboucher ses sinus chroniquement obstrués.

« J'irai droit au but, Mealworm, dit-il en indiquant d'un mouvement de tête la chambre à coucher où sa protégée délicieusement potelée se contorsionnait puis s'immobilisait brièvement pour aligner les méridiens de ses porte-jarretelles.

— Je sais, dis-je, redescendant du Venusburg. Vous avez lu mon livre, vous êtes impressionné par la puissance visuelle de ma prose, et vous souhaiteriez que je vous écrive un scénario. Bien entendu, vous vous rendez compte que même si nous parvenions à trouver un accord quant au nombre de zéros de ma rémunération, j'insisterais pour avoir un contrôle artistique total.

— Certes, certes, marmonna Biggs, balayant mon ultimatum d'un geste. Savez-vous ce qu'est une novélisation ? demanda-t-il en engloutissant un comprimé d'antiacide.

— Pas vraiment, répondis-je.

— C'est quand un film fait un très bon score au box-office. Le producteur engage alors un cave pour qu'il ponde un texte inspiré du film. Vous savez, ces livres de poche aux couvertures clinquantes – strictement à l'usage des analphabètes. Vous les avez bien vus, ces petits bouquins nazes qu'on trouve sur les présentoirs des aéroports ou des galeries commerciales.

— Hum-hum, fis-je, sentant dans ma région lombaire un pincement qui pouvait passer pour bénin mais qui, il ne fallait pas s'y tromper, était sans doute annonciateur de ma fin imminente.

— Moi, je vous préviens, je connais que l'excellence, je fraye qu'avec l'élite, je suis pas habitué à fréquenter la piétaille. Bref, je vous annonce que votre dernier opus a attiré l'attention de ma petite caille, la semaine dernière, dans un magasin, à la campagne. Marrant, d'ailleurs, c'était la première fois que je voyais un livre soldé dans le rayon du petit bois pour la cheminée. Je vous rassure tout de suite, je ne l'ai pas lu jusqu'au bout, mais les trois pages que j'ai survolées avant de perdre connaissance m'ont fait dire que j'étais en présence de l'un des plus grands génies du verbe depuis Papa Hemingway.

— Pour ne rien vous cacher, dis-je, je n'ai jamais entendu parler de « novélisation ». Mon métier c'est la littérature, la vraie. Joyce, Kafka, Proust. En ce qui concerne mon premier livre, je tiens à ce que vous sachiez que le responsable de la rubrique culture de la *Gazette des garçons coiffeurs...*

— Certes, certes, me coupa-t-il. En attendant, tous les Shakespeare du monde sont bien obligés de grailler sous peine de claquer avant d'avoir écrit leur chef-d'œuvre.

— Hum-hum, dis-je. Je me demande s'il serait possible d'avoir un verre d'eau. Je dois reconnaître que je me suis quelque peu accoutumé au Xanax.

— Croyez-moi, mon gars, dit Biggs en haussant le ton pour articuler lentement : tous les lauréats du Nobel bossent pour moi. C'est comme ça qu'ils gagnent leur croûte. »

À cet instant, sa secrétaire à l'opulente poitrine passa la tête dans l'encadrement de la porte et susurra :

« E. Coli – García Márquez au téléphone. Il prétend que son garde-manger est vide. Il veut savoir si vous pourriez éventuellement lui confier d'autres novélisations.

— Dites à Gabby que je le rappellerai, mon petit, répliqua sèchement le producteur.

Et de quel film au juste voudriez-vous que je rédige une « novélisation » ? fis-je d'une voix flûtée en m'étranglant sur le mot. S'agit-il d'une histoire d'amour ? De gangsters ? Ou d'un film d'action et d'aventure ? J'ai la réputation d'exceller en matière de descriptions, particulièrement en ce qui concerne les fresques bucoliques à la Tourgueniev.

— Les Ruskofs ? M'en parlez pas, jappa Biggs. L'année dernière, j'ai essayé de transposer la confession de Stavroguine en comédie musicale, mais d'un coup tous mes financiers ont attrapé la grippe porcine. Quoi qu'il en soit, voilà l'arnaque, bonhomme :

il se trouve que je possède les droits d'un classique du cinéma dans lequel jouent les 3 Stooges. J'ai gagné ça il y a des années en faisant une partie de Tonk avec Ray Stark, à Cannes. Un film dans lequel l'impayable trio comique s'en donne à cœur joie. J'ai exploité le machin jusqu'à la corde – sorties en salle, droits télé aux États-Unis et à l'étranger – mais j'ai comme dans l'idée qu'il y a encore moyen de presser le citron pour en tirer quelques gouttes.

— Les 3 Stooges ? répétai-je, incrédule, ma voix effectuant un glissando jusqu'à l'octave du fifre.

— Pas besoin de vous demander si vous les aimez. Ces trois mecs, c'est une véritable institution, dit Biggs.

— J'avais huit ans, à l'époque, fis-je en me levant de ma chaise, tapotant mes poches afin de savoir où se trouvait mon Fiorinal de secours.

— Deux secondes, mon gars. Vous avez pas encore entendu l'intrigue. Ça se passe une nuit dans une maison hantée.

— Navré, dis-je en me dirigeant vers la porte. Je suis en retard, il faut que j'aide des voisins à construire leur grange, et ensuite il y a une grande fête au village.

— J'ai réservé une salle de projection pour vous montrer le film, annonça Biggs, ignorant mes réticences, qui s'étaient à présent métamorphosées en pure panique.

— Non merci. Et ma réponse serait identique quand bien même j'en serais à manger ma dernière boîte de thon, bredouillai-je, mais le grand homme me coupa la parole.

— La vérité, mon fils. Si l'opération se révèle aussi lucrative que je le pense, je peux vous garantir qu'il y a vraiment des ronds à se faire. Ces trois zigotos valent des millions. Il suffit d'un e-mail pour bétonner l'affaire. Et vous seriez mon auteur en chef. De la folie, de quoi engranger en six mois assez de flouze pour consacrer le restant de vos jours à scribouiller vos livres pour intellos. Rédigez-moi juste quelques pages pour confirmer toute la confiance que j'ai en votre talent. Qui sait ? Peut-être qu'avec vous, la novélisation va conquérir ses lettres de noblesses et devenir un art littéraire majeur ? »

Ce soir-là, l'idée que j'avais de moi-même en prit un sacré coup et je dus recourir aux eaux apaisantes de la distillerie Cutty Sark pour combattre la dépression qui montait. Toutefois, il serait malhonnête de ne pas reconnaître que l'idée me titillait de mettre assez d'argent de côté pour pouvoir m'atteler ensuite à un autre chef-d'œuvre sans avoir à craindre les assauts de la malnutrition. Mais il n'y avait pas que Mammon, le dieu Argent, qui venait susurrer au creux de ma cochlée. Je ne pouvais tout à fait exclure l'hypothèse que Biggs ait du pif et qu'il ait vu juste.

J'étais peut-être l'élu choisi entre tous pour transformer effectivement ce sous-genre littéraire, la « novélisation », en art majeur.

Pris d'une soudaine euphorie, je me précipitai sur mon traitement de texte et, abreuvé de litres de café noir, je relevai le défi qui m'avait été lancé ; à l'aube je trépignais, pressé de montrer le texte à mon nouveau bienfaiteur.

L'écriteau *Ne pas déranger* resta accroché à sa porte jusqu'à midi, ce qui eut le don de m'irriter, et lorsque je fus enfin autorisé à entrer dans sa suite, il mastiquait des céréales aux fibres pour son petit déjeuner.

« Revenez à trois heures, m'ordonna-t-il. Et demandez Murray Zangwill. Il y a eu des fuites, mon pseudo est grillé, je suis assailli de beautés dénudées prêtes à tout pour que je leur fasse faire un bout d'essai. »

J'eus pitié de cet homme traqué et passai les heures suivantes à ciseler plusieurs phrases jusqu'à ce que toutes sans exception aient l'éclat du diamant. À quinze heures, je pénétrai dans sa piaule cossue avec mon texte entièrement retapé sur un vélin classieux.

« Lisez-le-moi, m'ordonna-t-il en coupant d'un coup de dents l'extrémité de son cigare cubain de contrebande, qu'il cracha en direction de son faux Utrillo.

— Que *moi* je vous le lise ? répétai-je, choqué à l'idée de présenter mon œuvre oralement. Ne préféreriez-vous pas en prendre connaissance par vous-même ? De manière à ce que les subtils ondoiements de ma prose résonnent intérieurement en vous ?

— Nan. Je sentirai mieux le truc si vous lisez. En plus, j'ai paumé hier soir mes lunettes au resto Robert & Robert. Commencez ! » ordonna Biggs en se calant les pieds sur la table basse.

J'entamai donc ma lecture :

« Oakville, Kansas, est situé dans une zone particulièrement désolée des vastes plaines centrales d'Amérique du Nord. Il ne reste désormais plus qu'une étendue aride en cette région où le paysage était jadis constellé de fermes. Il fut un temps où le blé et le maïs étaient un formidable gagne-pain avant que les subventions agricoles, au lieu d'accroître la prospérité, produisent l'effet contraire. »

Les yeux de Biggs se mirent à papillonner. Sa figure était auréolée d'une épaisse guirlande de nuages émanant de son immonde cigarillo.

« La Ford délabrée se gara devant une ferme déserte, poursuivis-je. Trois hommes en sortirent. Calmement, et sans raison apparente, celui qui avait les cheveux noirs prit le nez du chauve dans sa main droite, et le tordit lentement dans le sens contraire des aiguilles d'une montre. Un terrible grincement déchira le silence des Grandes Plaines. "Nous souffrons, s'exclama l'homme à la noire chevelure. Ah, malheur des aléas de l'existence humaine et de sa violence." Pendant ce temps, Larry, le troisième homme, était entré dans la maison et avait réussi à se coincer la tête à l'intérieur d'un pot en terre cuite. Tout devint soudain effrayant et noir tandis que Larry se déplaçait à tâtons dans la pièce. Il se demanda s'il existait un dieu, si la vie avait un sens et si l'univers obéissait à quelque dessein, lorsque soudain l'homme aux cheveux noirs entra et, ayant trouvé un maillet de polo, se mit à taper sur le pot dans lequel la tête de son compagnon était coincée. Avec une furie refoulée qui masquait des années d'angoisse face à l'absurdité du destin de l'homme, celui qui s'appelait Moe brisa la terre cuite. "Nous voilà enfin libres de choisir, dit Curly, le chauve, en pleurant, condamnés à mort mais libres de choisir." Là-dessus, Moe enfonça deux doigts dans les yeux de Curly. "Oooh, oooh, oooh, gémit Curly. Il n'y a donc point de justice en ce bas cosmos." Il fourra une banane dans la bouche de Moe et, sans l'avoir pelée au préalable, l'enfonça tout au bout. »

C'est alors que Biggs émergea brusquement de sa stupeur.

« Stop, n'allez pas plus loin, dit-il en se relevant d'un bond. C'est tout bonnement sensass. C'est du Johnny Steinbeck, c'est du Capote, c'est du Sartre.

Ça sent le pognon, ça fleure bon les honneurs. Voilà le genre de produits de qualité sur lesquels votre obligé a bâti sa réputation. Rentrez chez vous faire votre valise. Vous serez hébergé chez moi à Bel Air, en attendant mieux – un truc avec piscine et peut-être un golf trois-trous. À moins que Hef vous trouve une piaule pour un temps à la Play-Boy Mansion si vous préférez. Entre-temps, je vais appeler mon avocat pour bloquer les droits sur l'intégralité de l'œuvre des 3 Stooges. C'est un jour mémorable dans les annales du livre depuis Gutemberg. »

Inutile de dire que je n'ai plus jamais revu E. Coli Biggs, ni sous ce nom ni sous un autre.

Quand je suis retourné au Carlyle, ma valise à la main, cela faisait belle lurette qu'il s'était éclipsé, pour rallier soit la Riviera italienne, soit le Festival du film de Manille, à moins qu'il ne fût allé en Guinée-Bissau, faire le décompte des entrées de son film à succès – le garçon de la réception ne savait pas exactement. Ce qui s'est passé, c'est que traquer un grand monsieur qui n'utilise jamais son vrai nom s'est révélé une tâche insurmontable pour un malheureux aux doigts tachés d'encre comme moi. Et je soutiens mordicus que Faulkner et Fitzgerald n'auraient pas fait mieux.

PRISE DE BEC AU PROCÈS DISNEY

Le procès intenté par les actionnaires de la Walt Disney Company à son ex-président Michael Ovitz, à propos de sa faramineuse indemnité de licenciement, a connu aujourd'hui un brusque rebondissement avec la déposition d'un témoin inattendu. Celui-ci a été interrogé par l'avocat du géant de l'industrie du divertissement.

L'avocat : Le témoin peut-il décliner son nom ?

Le témoin : Mickey Mouse.

Avocat : Pouvez-vous s'il vous plaît indiquer à la cour votre profession.

Témoin : Rongeur animé.

A : Étiez-vous ami avec le P-DG Michael Eisner ?

T : Je ne dirais pas vraiment ami – nous avons dîné ensemble à plusieurs occasions. Une fois, lui et sa femme nous ont invités chez eux, Minnie et moi.

A : Vous est-il arrivé de discuter affaires avec lui ?

T : J'ai participé à un petit déjeuner où il y avait M. Eisner, Roy Disney, Pluto et Dingo.

A : Où a eu lieu ce petit déjeuner ?

T : Au Beverly Hills Hotel.

A : Y a-t-il eu d'autres témoins ?

T : Steven Spielberg s'est arrêté à notre table pour dire bonjour... Oh, et Daffy Duck.

A : Vous connaissez Daffy Duck ?

T : Daffy Duck et moi, on s'était rencontrés chez Sue Mengers, quelques mois plus tôt, et on avait sympathisé.

A : Si j'ai bien compris, M. Eisner n'approuvait pas que vous soyez en contact avec Daffy Duck ?

T : On s'est disputés à plusieurs reprises à ce sujet.

A : Et que s'est-il passé finalement ?

T : J'ai fini par arrêter de voir Daffy quand j'ai appris qu'il était devenu scientologue.

A : Revenons au petit déjeuner, si vous le voulez bien. Vous souvenez-vous de quoi il a été question ?

T : M. Eisner a dit qu'il avait l'intention d'engager Michael Ovitz, qui était alors à la direction de la Creative Artist Agency.

A : Quelle a été votre réaction en entendant cela ?

T : J'ai été étonné, mais Pluto, lui, a eu encore plus de mal à encaisser. Il a paru découragé.

A : Pourquoi découragé ?

T : Il était inquiet parce que M. Ovitz était beaucoup plus proche de Dingo. Pluto a eu le sentiment que son temps de présence à l'écran risquait d'en pâtir.

A : Donc vous étiez au courant qu'il existait une « relation privilégiée » entre M. Ovitz et Dingo ?

T : Je savais qu'à l'époque où M. Ovitz était agent, il avait courtisé Dingo, et, si je me souviens bien, ils avaient loué ensemble une maison à Aspen.

A : Est-ce qu'il y a eu un moment précis où ils se sont rapprochés ?

T : M. Ovitz a défendu Dingo quand il s'est fait arrêter à Malibu pour une histoire de dope.

A : Est-il vrai que Dingo avait un problème avec la drogue ?

T : Il était accro au Percodan.

A : Cela durait depuis combien de temps ?

T : Dingo était sous calmants à cause d'un dessin animé – une belle plantade. Il avait sauté de l'Empire State Building avec un parapluie en guise de parachute, et il s'était fait mal au dos.

A : Et alors ?

T : M. Ovitz a pris l'initiative de faire admettre Dingo en cure de désintoxication au Betty Ford Center.

A : Avez-vous fait part à M. Eisner de vos craintes concernant son projet d'engager M. Ovitz ?

T : Minnie et moi en avons discuté. Nous savions que c'était le clash assuré.

A : En avez-vous parlé avec d'autres personnes, hormis votre femme ?

T : Dumbo, Bambi – je ne me souviens pas vraiment. Ah oui, Jiminy Criquet, une fois, chez Barbra Streisand. Elle a organisé une soirée en son honneur lorsqu'il a acheté sa maison à Trancas.

A : Est-ce qu'il en a été conclu quelque chose ?

T : Dumbo estimait que c'était à Donald Duck de faire part à M. Eisner de notre inquiétude, parce que M. Eisner écoutait toujours Donald. Comme il l'avait dit lui-même, il considérait Donald comme « l'un des canards les plus brillants qu'il lui avait été donné de rencontrer ». Ils avaient passé beaucoup de temps ensemble, au bord de la mare de Donald.

A : Ce sentiment était-il réciproque ?

T : Oh oui. Donald a vécu chez M. Eisner pendant six mois, lorsque lui et Daisy se sont séparés. Donald avait eu une aventure avec Pétunia, la petite amie de Porky. Chez Disney, il n'était pas question de sympathiser avec des créatures d'un studio concurrent ; mais dans le cas de Donald, M. Eisner a choisi de fermer les yeux, ce qui n'a pas plu aux actionnaires.

A : C'est l'affaire à laquelle vous avez fait allusion dans votre déposition ?

T : Oui. Je ne me souviens plus exactement – mais il me semble que Donald a été présenté à Pétunia chez Jeffrey Katzenberg.

A : Étiez-vous présent ce jour-là ?

T : Oui, il y avait aussi Tom Cruise, Tom Hanks, Jack Nicholson. Et, il me semble, Sean Penn, Vil Coyote, Bip Bip...

A : Tom et Jerry ?

T : Non, ce week-end-là, ils étaient à un séminaire EST, la secte de Werner Erhard.

A : Six mois plus tard, messieurs Katzenberg et Eisner étaient attaqués en justice. Est-ce que vous vous souvenez des détails ?

T : C'était lié au fait que M. Eisner avait promis des stock options à Bugs Bunny s'il venait travailler chez Disney.

A : Bugs a-t-il accepté ?

T : Non, Bugs est quelqu'un de très indépendant. À cette époque, il avait l'intention de prendre une année sabbatique pour écrire un roman.

A : Revenons à la soirée – vous souvenez-vous de ce qui s'est passé ensuite ?

T : Oui. Donald Duck s'est saoulé et a dragué Nicole Kidman. C'était terriblement gênant parce qu'elle et Tom Cruise étaient encore mariés. Donald semblait en vouloir à Cruise, il avait l'impression qu'on ne proposait à Tom que des rôles qui auraient dû être pour lui. Je me souviens qu'à cette soirée M. Eisner a accompagné Donald dehors pour le calmer.

A : Vous rappelez-vous ce qui s'est passé ensuite ?

T : Donald a fait la connaissance de Pétunia sur la pelouse de M. Katzenberg. Il l'a trouvée très belle, très excitante et je sais qu'ils aimaient plus ou moins les mêmes groupes de musique. Donald avait toujours eu du mal à contrôler ses colères. Cela faisait des années qu'il était sous Prozac ; il était convaincu que sa carrière était un fiasco et qu'il finirait un jour ou l'autre au menu d'un restaurant cantonais. Malgré les recommandations de M. Eisner, Donald a commencé à fréquenter en catimini la petite copine de Porky.

A : À votre connaissance, combien de temps a duré cette aventure ?

T : Un an environ. Pétunia a fini par annoncer à Donald qu'elle ne pouvait plus continuer à le voir parce qu'elle était tombée amoureuse de Warren Beatty, et que lui aussi était fou d'elle. Si vous vous souvenez, elle l'a d'ailleurs accompagné au festival de Cannes.

A : Y a-t-il eu un moment où Daisy a mis Donald à la porte ?

T : Oui. M. Eisner l'a alors hébergé. Il est resté chez lui jusqu'à ce que Donald et Daisy décident d'habiter à nouveau ensemble, mais en se mettant d'accord pour être un couple libre.

A : Donc, pour autant que vous sachiez, est-ce qu'il est possible que quelqu'un ait dit à M. Eisner que ce ne serait peut-être pas une bonne idée d'engager M. Ovitz ?

T : Le soir des Academy Awards, j'ai abordé le sujet avec Pinocchio, mais il n'a pas voulu s'en mêler.

A : Vous êtes donc en train de dire que ni Pinocchio ni personne d'autre n'a prévenu M. Eisner que lui et M. Ovitz risquaient de ne pas former une équipe très performante.

T : Pour autant que je me souvienne, c'est correct.

A : Et lorsqu'il s'est avéré que cela ne fonctionnait pas au plan professionnel, est-ce que la question des indemnités de licenciement a été abordée – les cent quarante millions de dollars perçus ? M. Ovitz a-t-il à un moment donné eu le sentiment que la somme était excessive ?

T : Je sais seulement que Jiminy Criquet était souvent perché sur l'épaule de M. Ovitz et lui conseillait toujours de laisser sa conscience guider ses pas.

A : Et alors ?

T : La suite de l'histoire, tout le monde la connaît.

A : Je n'ai plus d'autres questions, votre honneur.

TABLE

Composition et mise en page

NORD COMPO
m u l t i m é d i a

CET OUVRAGE
A ÉTÉ REPRODUIT
ET ACHEVÉ D'IMPRIMER
SUR ROTO-PAGE
PAR L'IMPRIMERIE FLOCH
À MAYENNE EN JUIN 2007

N° d'éd. L01ELHN000127A006. N° d'impr. 68623.
D. L. : mai 2007.
Imprimé en France